Minha vida com Boris

Thays Martinez

MINHA VIDA COM BORIS

A comovente história do cão que
mudou a vida de sua dona e do Brasil

GLOBOLIVROS

Copyright © 2012 by Editora Globo S.A. para a presente edição
Copyright © 2011 by Thays Martinez

Todos os direitos reservados. Nenhuma parte desta edição pode ser utilizada ou reproduzida — em qualquer meio ou forma, seja mecânico ou eletrônico, fotocópia, gravação etc. — nem apropriada ou estocada em sistema de bancos de dados, sem a expressa autorização da editora.

Texto fixado conforme as regras do novo Acordo Ortográfico da Língua Portuguesa (Decreto Legislativo nº 54, de 1995).

Edição de texto: Adriana Bernardino / Maria Augusta Blecher
Preparação de texto: Alice Rejaili
Revisão: Ana Maria Barbosa / Beatriz de Freitas Moreira
Capa: Mariane Lépinne
Paginação: Antonio Carlos Cardoso
Tratamento de imagens: Paula Korosue
Foto de capa: © Daigo Oliva / G1 / agência Conteúdo Expresso
Caderno de imagens: 8 e 11: © Osíris Bernardino; 9: © Nilani Goettems / Diário do Comércio; 10: © Fernando Moraes / Editora Abril / agência Conteúdo Expresso; 13: © Marcos Magaldi / Época negócios; 15: © Daigo Oliva / G1 / agência Conteúdo Expresso; demais fotografias: acervo da autora

1ª edição, 2011 - 9ª reimpressão, 2022

Dados Internacionais da Catalogação na Publicação (CIP)
(Câmara Brasileira do Livro, SP, Brasil)

Martinez, Thays
    Minha vida com Boris: a comovente história do cão que mudou a vida de sua dona e do Brasil / Thays Martinez. – São Paulo : Globo, 2011

    ISBN 978-85-250-4837-0

    1. Boris (Cão) 2. Deficientes visuais Memórias autobiográficas 3. Martinez, Thays 4. Relações homem-animal I. Título.

10-12018   CDD-362.41092

Índices para catálogo sistemático:
1. Deficientes visuais : Memórias   362.41092

Direitos de edição em língua portuguesa para o Brasil adquiridos por Globo Livros LTDA
Rua Marquês de Pombal, 25 — 20230-240 — Rio de Janeiro — RJ
www.globolivros.com.br

*Dedico este livro com muito carinho e gratidão
aos meus amigos e amigas de todos os tempos.
E, com todo amor e amizade, ao Zé, namorado
e meu melhor amigo.*

Agradecimentos

Agradeço à Janet Meinka, socializadora do Boris, responsável por ele ter se tornado um grande *gentleman*.

A Greg Levick, treinador que o transformou no mais genial profissional da carreira de cão-guia.

Ao Moisés Vieira dos Santos Jr., que me apresentou ao Boris e me ensinou a construir com ele um time de sucesso.

A todos os gestores, funcionários, doadores e voluntários da Leader Dogs, que viabilizaram a melhor parceria de minha vida.

A Mônica Tambelli e Renata Manzini, que deram início à busca por Boris.

Ao Nelson e a Maria Augusta Blecher, por todo o carinho e amizade que dedicaram a mim e ao Boris. À Maria Augusta, em especial, por ter me ajudado a dar início à concretização do sonho de escrever este livro.

A todas as pessoas e instituições que estiveram ao nosso lado, por ações, ideias ou com sua importante torcida.

Agradeço ainda a Carrie Pryce e Shelly Gunville, respectivamente treinadora e socializadora do Diesel, porque prepararam esse lindo recomeço para mim.

E a meus pais, que me ensinaram a acreditar em meus sonhos.

Uma breve introdução, ou algo sobre o Boris

Quando criança, com cinco ou seis anos de idade, eu tinha três grandes sonhos: ter uma bicicleta, um piano e, por fim, um cachorro grande. Até aí, nenhuma novidade. Crianças de todo o mundo vivem pedindo a seus pais essa espécie de trio supremo do desejo infantil. A bicicleta veio aos oito, o piano aos doze. Porém, para realizar meu terceiro desejo, tive de esperar até meus 26 anos. Em abril de 2000, pouco depois da chegada do novo milênio, ganhei um grande cachorro.

Os cães sempre tiveram um lugar muito especial em minha vida. Desde pequena sou apaixonada por eles. Mas Boris e, depois, Diesel tiveram papel ainda mais importante. Eles me ensinaram muito sobre cães, pessoas, relacionamentos, diferenças e sobre mim mesma. Eles me fizeram descobrir vários sentimentos, possibilidades, forças, fragilidades e, principalmente, muitos amigos.

Boris, um labrador cor de mel, trinta quilos, cidadão americano do estado de Michigan, mas brasileiro de coração. Com seu jeito moleque e brincalhão, mas extremamente sério e responsável quando estava trabalhando, era, antes de tudo, um amigo que conquistava todos que o conheciam. Durante boa parte de nossa convivência, Boris se tornou familiar para crianças e adultos, que o reconheciam como "o cão-guia da televisão" após as diversas entrevistas e programas de que participamos.

Na rua ou nos lugares que frequentamos juntos – como shopping centers, restaurantes, metrô, aeroportos e parques –, todo mundo queria brincar com o Boris e tirar fotos ao lado dele. Quando conseguimos embarcar no metrô pela primeira vez, um repórter de rádio disse brincando que gostaria de ter um autógrafo dele. Pois não nos fizemos de rogados. Coloquei com delicadeza sua pata direita na tinta de carimbo para então, concentrados, fixarmos aquela almofadinha de veludo toda tingida numa folha de papel. Talvez tenhamos inventado ali uma nova modalidade de autógrafo, o autógrafo canino!

Aprendi a compartilhar o Boris com todas essas pessoas. Sempre pensei que ele podia ser um exemplo que vai muito além de sua nobre tarefa de ser um cão-guia. Boris foi um símbolo de independência e dedicação e mostrou ao mundo que não existem limites para quem acredita em seus sonhos.

Boris mudou minha vida. Com ele pude concretizar novas realizações e descobertas. A vida se revelou mais ampla, mais leve e muito mais divertida. O que eu não esperava é que Boris fosse mudar, além da minha, a vida de tantas outras pessoas.

ANTES DE ACONTECER

A última visão do mar

TUDO ACONTECEU EM JANEIRO de 1978. Era um sábado ensolarado de verão e dali por diante minha vida mudaria para sempre. Viajei com minha família para passar o dia em Santos, na casa de uma tia. Eu estava com quatro anos de idade e adorava ficar fazendo castelos na areia, tomar banho de mar e, o melhor de tudo, chupar raspadinhas de morango, uva e abacaxi. Meus pais me contam que eles tinham de retornar para São Paulo ainda naquela noite. Como toda criança, eu não queria sair no melhor da festa. Chorei muito pedindo para ficar com meus tios na praia. Mas, por alguma razão, meus pais não deixaram. Chorei até pegar no sono, antes mesmo de subirmos a serra. Ao chegarmos em casa, meu pai me pegou no colo, me colocou na cama e eu segui dormindo profundamente por toda a noite.

Minhas lembranças do fim da minha visão começam no dia seguinte. Quando acordei, ainda estava com sono e preguiça, me lembrando da praia. Ao abrir os olhos, virei para ver meu irmão, que dormia no berço ao lado da minha cama. Não o encontrei. Estava tudo embaralhado e confuso. Não conseguia distinguir muito bem as coisas, nem mesmo o abajur azul de que tanto gostava. Ele estava diferente. Parecia que faltavam alguns pedaços.

Chamei minha mãe e disse a ela que estava enxergando tudo embaralhado. Falei assim mesmo, usando essas palavras. Minha mãe então acendeu a luz, abriu a janela e perguntou: "E agora, melhorou?". Eu continuava dizendo: "Não adianta, está tudo embaralhado". Ela acendeu o abajur azul e nada. Eu insistia: "Não adianta, não adianta". E continuava enxergando tudo embaçado.

Meus pais resolveram dar um tempo e me distrair com outras coisas. Continuavam me observando, tentando descobrir o que estava acontecendo. Poderia até ser alguma chantagem infantil, birra de criança, já que no dia anterior eu queria ter ficado na praia e eles não deixaram. Naquele momento, não podiam imaginar que o que estava acontecendo fosse tão sério.

Eu me levantei, tomei café e fui brincar. Naquela época, eu estava bastante encantada com as cores. Adorava lápis de cor e brincar com fichas coloridas de jogos. Meu pai então me levou para seu escritório e começou a me mostrar as fichas me perguntando as cores. Por uma questão de sorte, acertava quase todas no chute. Eu estava encarando aquilo como uma brincadeira. Não tinha consciência de que estava sendo testada. Quando não se quer acreditar em alguma coisa, não é difícil distorcer a realidade. Meus pais achavam que eu continuava vendo.

Quase todos os domingos almoçávamos na casa de meus avós. Minha mãe combinou com meu pai que ele sairia antes comigo e com meu irmão. Ligou para minha avó e contou, com muito cuidado, o que estava acontecendo. Elas então combinaram uma maneira de passar a limpo aquela história. Chegando lá, a primeira coisa que minha avó me disse foi que tinha comprado um vidro de palmito para mim e me mandou pegar na geladeira. Eu, que adorava palmito, corri para a cozinha, abri a geladeira, olhei, olhei e nada: "Onde está, vó? Cadê vó, cadê? Eu não estou vendo". Foi nesse momento que minha mãe começou a ficar realmente preocupada. Meu avô tentou tranquilizá-la e sugeriu que não insistisse no assunto naquele instante.

À tarde acabei adormecendo e, quando acordei, eu não estava enxergando mais nada. Minha mãe ainda tentou mais uma brincadeira que eu adorava: encontrar cartas de baralho que fossem iguais. Quando ela estava pondo as cartas, bati com força na mesa e disse: "Eu não gosto mais desta brincadeira!". Nesse momento meus pais ficaram desesperados e saíram correndo comigo para o hospital.

A partir daquele dia, a vida deles passou a ser uma maratona atrás de médicos, clínicas e laboratórios. Se alguém comentasse sobre um bom oftalmologista, meus pais não hesitavam em marcar uma consulta. Fui de Campinas a Niterói, mas nenhum desses médicos descobria nada. Ainda nos primeiros dias, fomos ao hospital da Escola Paulista de Medicina e, por coincidência, estava acontecendo um Congresso de Oftalmologia com a presença de médicos de vários países. O professor que me examinou chamou os colegas que participavam do evento e pediu que avaliassem a situação. Ele ficou intrigado, sem entender o que estava acontecendo comigo.

Clinicamente, não encontraram nenhum problema com minha visão. Outros médicos com quem me consultei pediram exames neurológicos porque também não encontraram nada que pudesse explicar o que estava acontecendo. Suspeitaram de um problema cerebral que estivesse repercutindo em minha visão. Outro especialista ainda comentou com minha mãe que nunca tinha visto nada parecido e sugeriu que eu poderia estar simulando. Ele garantia que não havia problema algum com a visão.

Minha mãe então procurou psicólogos, e eu passei a fazer ludoterapia. Prosseguia a maratona de médico em médico, para lá e para cá. Eu até me divertia nessas consultas, principalmente quando os consultórios tinham brinquedos e poltroninhas de criança.

A provável causa da perda da minha visão só seria identificada sete anos mais tarde pelo dr. Tadeu Cvintal. Foi realmente extraordinário. Lembro-me de que ele entrou na sala, acendeu uma daquelas luzinhas de oftalmologista, olhou meus olhos e disse ao médico assistente algo mais ou menos assim: "Ela tem uma degeneração na retina, provavelmente causada por um processo infeccioso". O assistente, que já havia passado a ele algumas informações, comentou: "Desculpe, doutor, eu me esqueci de dizer que ela teve caxumba dias antes da perda da visão".

"Está aí", completou o doutor Tadeu, "foi provavelmente o vírus da caxumba que se alojou na retina, causando a infecção."

Minha mãe, que havia contado a história simplesmente pelo hábito de falar todos os fatos que tinham acontecido na época, ficou perplexa.

"Nossa, doutor, eu não sabia que caxumba pudesse..."

"Não é uma coisa comum, mas os vírus passam por mutações genéticas e consequentemente alteram também as áreas de alojamento. Ainda é raro, mas tem acontecido."

Nos anos 1970, eram raras as informações e pouco se falava a respeito das possibilidades e do desenvolvimento das capacidades das pessoas com algum tipo de deficiência. Minha mãe conta que a imagem que ela tinha de um cego era daquelas pessoas que vendiam vassouras e espanadores pelas ruas, o que já era muito, considerando que a grande maioria das pessoas com deficiência visual ficava trancafiada e escondida em casa.

Partindo de referências como essas, minha família nem sequer poderia imaginar como minha vida viria a ser. Eu, com apenas quatro anos, não tinha consciência dessa realidade. Eu queria tudo. Queria brincar, correr, andar de bicicleta, ir à escola, ter minha mochila, minha lancheira, meu estojo, caderno, lápis de cor. Meus pais, por não saberem dizer "não", realizavam todos os meus desejos. Mas eles, confusos e perdidos, deviam pensar: "O que vamos fazer agora?". Eles nunca, mas nunca mesmo, falaram nada do tipo: "Isso não é para você".

Não temos vagas

Perdi a visão em janeiro. No ano anterior, minha mãe já havia feito minha matrícula numa escola. Por uma dessas ironias do destino, era um colégio de orientação religiosa. Quando minha mãe foi à escola conversar com as freiras, elas nem sequer tiveram coragem de discutir a questão, assumir sua falta de preparo. Optaram pela solução fácil: "Desculpe, mas houve um lapso. A funcionária responsável perdeu a reserva da vaga de sua filha e, por engano, matriculou outro aluno no lugar".

Essa foi apenas a primeira de tantas outras batalhas que se seguiriam na busca por uma escola para mim. Em todos os lugares, a história se repetia. Só variavam as desculpas: "Não tenho como", "não temos mais vagas", "não é possível". Não, não e não. E eu, por minha vez, insistindo: "Quando vou para a escola como meus primos?".

Minha mãe passou muito tempo procurando daqui e dali. Eu me lembro de que algumas vezes ia com ela nessa romaria pelas escolas. Não ficava presente na conversa e geralmente me deixavam brincando no pátio ou no parquinho. Eu achava o máximo, mas, quase sempre, na volta para casa, ela me contava que eu não poderia estudar ali. Eu ficava muito triste, mas não perdia a esperança. Enquanto isso, frequentava um curso de natação, que era, naquele momento, a única forma de cumprir a promessa de eu estar numa escola.

Passado quase um ano, minha mãe já havia praticamente desistido. Mas em uma conversa com outras mães ouviu muitos elogios ao trabalho de Paula Galetti, proprietária e diretora pedagógica de uma escola infantil, a Jardim Escola Wandinha. Ao procurá-la, minha mãe repetiu mais uma vez minha história. Paula ouviu atentamente e, pela primeira vez, no lugar de desculpas esfarrapadas e vazias, minha mãe saía com um promissor "pode ser". A diretora contou que era a primeira vez que deparava com uma situação como aquela.

Precisaria de um tempo para pesquisar recursos e métodos que viabilizassem meu aprendizado. "Vamos dar um jeito nisso."

Dois dias depois, Paula ligou para minha mãe e disse que ela poderia fazer minha matrícula. Contou que havia descoberto uma pessoa que ensinaria o método braile e outras técnicas para duas professoras da escola, de forma que pudessem desenvolver um bom trabalho comigo. E foi o que aconteceu. Eu me integrei ao grupo, à escola. Isso aconteceu há três décadas. Mas ainda hoje muitas escolas recusam-se a trabalhar com a diversidade.

Adolescência: limitações em evidência

Comecei a sentir mesmo a questão da deficiência quando entrei na adolescência. Foi uma fase em que as limitações começaram a ficar um pouco mais evidentes. Era como se a infância e a inocência tivessem ficado para trás e eu me conscientizasse de que tinha uma diferença. Isso significaria alguns obstáculos a mais ou, pelo menos, diferentes daqueles enfrentados pela maioria das pessoas.

Um de meus grandes dramas era me locomover de forma independente. Sem isso, era difícil pensar em liberdade e privacidade. Durante a infância tive um bom grau de independência. Em casa eu me virava muito bem, conhecia cada espaço, a posição de cada móvel, a localização de cada coisa dentro dos armários. Brincava com meus irmãos de correr e esconder, inclusive nas escadas. Lembro-me de que escalávamos as paredes do corredor dos dormitórios apoiando o pé e a mão direitos em uma parede, e os esquerdos em outra. Minha avó, que morava com a gente, ficava de cabelo em pé quando nos via já encostados no teto.

Na escola também era assim, andava por todos os ambientes sem usar nenhum instrumento de locomoção. Eu conhecia aquele espaço como se fosse minha casa. Nunca estudei em escolas especiais e como sempre tive muitos amigos não sentia o impacto da deficiência.

No começo da adolescência, saía quase todo fim de semana com meus pais ou com minhas amigas. Viajávamos bastante juntas. Tudo era relativamente tranquilo. Meus pais me levavam para os lugares que eu precisava ir: escola, outros cursos, casa de amigos. Porém, como todo adolescente, não queria aparecer sempre grudada na barra da saia da mãe. Foi exatamente nessa fase que deparei com um dilema: não queria depender das pessoas. Ao mesmo tempo, minhas opções eram mínimas. Não se falava de cão-guia no Brasil. A única alternativa disponível era a bengala, que, em minha reflexão adolescente, traria uma exposição muito grande. Minhas ideias estavam num verdadeiro turbilhão.

A tal da bengala

Ao sentir que a necessidade de ficar por minha própria conta estava se tornando mais forte e evidente, que eu não queria continuar dependendo do sim e do não de outras pessoas para tocar minha vida, decidi fazer um curso para aprender a andar de bengala. Conversei com meus pais e, apesar de alguma resistência, apoiaram minha decisão e contrataram um professor particular.

As primeiras lições eram realizadas dentro de casa, até que eu dominasse as técnicas de como usar corretamente a bengala. Muita gente pensa que é fácil, que é só colocar a bengala à frente e começar a andar. Nada disso. Dependendo do tipo de piso, do ambiente, usa-se a bengala de forma diferente. Em um piso liso, como o de um shopping center, pode-se fazer o que se chama de varredura, ou seja, arrastar a bengala no chão de um lado para outro. Se o piso for irregular, como na maioria das calçadas, o ideal é bater a bengala de um lado e de outro, pois arrastá-la torna-se inviável.

No Brasil, muita gente com deficiência visual não tem acesso a professores de orientação e mobilidade com formação adequada, e, por isso, acaba se aventurando no uso precário da bengala e se expondo a perigos e a muitos riscos desnecessários.

Dentro de casa, aprendi com facilidade as técnicas e os procedimentos, mas chegou o dia em que eu faria o treinamento na rua. Quanto mais esse momento se aproximava, mais crescia dentro de mim uma estranha sensação que eu não entendia bem o que era, mas que estava lá, incomodando o tempo todo.

Quando o professor chegou, fomos para a rua, porém não estava me sentindo preparada. E não era quanto à técnica. Foi uma experiência muito ruim, muito pesada psicologicamente e bastante complicada, embora a atividade fosse extremamente simples: sair e andar na calçada alguns metros ao redor de casa.

Terminada a aula, voltei para casa. Eu me sentia acabada. Lembro-me de ter jogado a bengala no chão com toda a força, me atirado na cama e chorado muito. Naquela noite, durante o jantar, conversei com meus pais e meus irmãos sobre meus sentimentos em relação à deficiência. Talvez tenha sido a primeira vez que conversávamos tão abertamente sobre a questão. Contei como havia sido a experiência de sair à rua com a bengala, que eu estava me sentindo muito mal, que julgava não ter preparo, estrutura emocional naquele momento para dar continuidade ao treinamento.

A dor de não poder fazer tantas coisas que eu queria – andar por aí para espairecer, passear sozinha, sair para comprar um sorvete ou um chocolate – era menor do que a dor de lidar com todo um complexo emaranhado de aspectos emocionais relativos à deficiência. Então resolvi dar um tempo em relação a usar a bengala. Usava só em ambientes internos e selecionava cada vez mais as situações que realmente importavam para eu continuar minha vida.

Enfim, a faculdade

Naquele ano prestei o vestibular e passei na primeira fase da Fuvest, mas não consegui passar na segunda. Foi como se o mundo tivesse desabado. Depois entendi que não era apenas pelo vestibular. Era novamente o fantasma da superação me assombrando. Eu sabia que havia uma expectativa muito grande por parte de todos. O momento difícil de não ter conseguido realizar um sonho ficava ainda mais pesado pela preocupação com o que as pessoas pensavam e como estavam se sentindo em relação a tudo isso. Decidi então me dar o direito de viver essa frustração intensamente. Não seria saudável fazer de conta que aquilo não tinha importância e diminuir o tamanho da dor que realmente estava sentindo.

Eu estava consciente das dificuldades que encontraria pela frente. A maior delas era a escassez de material adaptado para pessoas com deficiência visual. Eu precisaria complementar meus estudos, fazer algumas aulas particulares para suprir matérias que exigiriam mais de mim – como geometria, geografia e outras disciplinas nas quais gráficos são fundamentais. Até existiam instituições que ofereciam esses serviços sem custo, mas a demora chegava a ultrapassar um ano de espera por um único livro. Para conseguir transcrições desse material a tempo de estudar para o vestibular, eu precisaria encomendá-lo a profissionais especializados, isto é, um custo extra.

Procurei um dos donos do cursinho Anglo, pleiteando uma bolsa de estudos. O objetivo seria reaplicar o valor da mensalidade no material complementar. Como eu já havia concluído o segundo grau, tinha as manhãs, as tardes e as noites livres para me dedicar totalmente aos estudos. Assim, quando algum professor estava livre entre uma aula e outra, procurávamos criar métodos para que eu pudesse compreender determinados conceitos. Para estudar geometria, por exemplo, nos valíamos de um tipo de chapa de alumínio bem macia, mas resistente o bastante para, com a ponta arredondada de uma caneta, desenhar e gravar em relevo gráficos, figuras geométricas, vetores e mapas. Em sala de aula, quando os professores desenhavam uma figura na lousa, também faziam sua descrição verbal. Dessa forma, eu conseguia captar o conteúdo das matérias ao mesmo tempo que todos os outros alunos. Eu estudava com minha família ou com alguns amigos que liam e gravavam textos para mim. Muitas vezes, passava o dia inteiro no cursinho e chegava a assistir à mesma aula mais de uma vez em outras turmas.

Quando chegou a época das inscrições para o vestibular, a maior dificuldade continuava sendo lutar contra o tempo. Eu teria as mesmas quatro horas que todos os candidatos para resolver a prova, o que me colocava em desvantagem. Claro que o conteúdo deveria ser o mesmo, como de fato era, mas o tempo deveria ser um pouco maior.

As pessoas não imaginam as diferenças nos processos de execução de uma prova desse porte quando realizada por uma pessoa com deficiência visual. Eu optava por ter um ledor, pois minha leitura braile era muito lenta. Mas, assim mesmo, outra pessoa lendo em voz alta não atinge a mesma velocidade que alguém lendo para si. Na leitura convencional, quando a pessoa não entende uma palavra do texto, retorna apenas ao trecho que interessa. Em meu caso, se acontece algo assim, tenho de interromper, verbalizar um pedido de ajuda, pedir para voltar ao ponto e aguardar que o ledor localize com exatidão.

Passei na primeira fase e as provas da segunda fase seriam no início do ano seguinte. Viajei com minha família para passar o Réveillon na praia. Levei material para estudar, inclusive algumas fitas de áudio que meus amigos tinham gravado. Eu também pedia, sempre que havia alguém disponível, para que lesse alguns textos para mim.

A segunda fase do vestibular é realizada com perguntas e respostas redigidas. Escrevi em braile e, depois, o texto foi transcrito para o alfabeto tradicional para que os examinadores pudessem ler. Saí das provas acabada, quase desmaiando, tamanha era a ansiedade.

Finalmente, no início de fevereiro, chegou o dia de ver o resultado. Fui com meu pai, minha mãe e minha irmã ao *campus* da USP, na Cidade Universitária. Não era o tempo da internet. A lista impressa ficava afixada na parede. Estava aquele tumulto, cheio de gente, uns rindo, outros chorando. Teimei com meus pais que eu queria saber o resultado antes deles. Mas não dava para ir sozinha. Como eu leria a lista? Então fui só com a Paula, minha irmã, que começou a procurar com muito cuidado. "Vai, Paula, vê logo!" "Espera, está difícil, tem muito nome e muita gente." Depois de um tempão, ela gritou: "Passou! Você passou!".

Comecei a chorar. "Meu Deus, meu Deus! Eu consegui! Eu passei! Eu passei!" Meus pais, de longe, não estavam entendendo. Minha irmã fazia um monte de sinais, mas não explicava nada. Foi até engraçado. Eles me viram chorando e vieram me consolar pensando que eu não tivesse passado. Depois, todos ficaram muito felizes.

Onde é que já se viu uma pessoa com deficiência visual ser escrevente?

Conquistei meu primeiro emprego e minha independência financeira aos 21 anos. Já havia cursado um ano de faculdade e pretendia trabalhar em algo relacionado a direito. A oportunidade surgiu nas férias de verão, ao descobrir que estavam abertas as inscrições de um concurso público para escrevente no extinto Primeiro Tribunal de Alçada Civil. Fui aprovada e tomei posse no início de agosto de 1995.

No Tribunal, todos sabiam de meu sonho de ter um cão-guia. Antonio Carlos Malheiros, desembargador com quem tive o privilégio de trabalhar e que se tornou um grande amigo, conhecia um comandante da Polícia Militar que estava desenvolvendo um projeto para o treinamento de cães-guia.

Imediatamente entrei em contato com os responsáveis pelo projeto e, para minha surpresa, fui informada de que saber andar com bengala era pré-requisito para participar do processo seletivo. Não tive dúvida. Contratei outro profissional e acertei com ele o treinamento. Deixei claro que eu não me entusiasmava com aquela história de usar bengala, mas queria, em tempo recorde, aprender tudo o que fosse preciso para poder me habilitar a ter um cão-guia. Ele ainda tentou argumentar que pressa não era o caminho mais adequado, mas fui bem clara: se não fosse daquele jeito, procuraria outro profissional. Minha motivação estava toda na oportunidade de ter um cão-guia, e eu não queria perdê-la por nada deste mundo.

O treinamento aconteceu em total e absoluto segredo. Não comentei nada com meus pais. Eu já estava circulando bem ali pelo centro velho de São Paulo – um lugar bastante complexo. A região reúne a Faculdade de Direito, igrejas, vários prédios de escritórios e muito comércio, inclusive ambulantes com suas barracas esparramadas pelas calçadas, disputando espaço com milhares de pedestres. O trajeto envolvia ruas movimentadas, como a Direita, a Boa Vista, e também espaços bem amplos, como o Largo São Francisco e o Pátio do Colégio. Fiz um intenso treinamento nesse circuito e também na região da Vila Mariana, atravessando ruas e avenidas e explorando as dependências do metrô que circula na região.

Eu tinha imposto a mim mesma, como um desafio pessoal, que a certificação de meu aprendizado seria conseguir voltar para casa sozinha. Naquele dia, mais do que andar sozinha com a bengala, o desafio maior era não alertar ninguém sobre o que eu pretendia fazer. Meus pais sempre me buscavam no Tribunal e, caso soubessem de minha pretensão, além de ficarem desesperados, eram capazes de me seguir. Se desse alguma coisa errada, eles ficariam com medo e acabariam interferindo. Eu queria passar sozinha por essa primeira experiência.

Então tive uma ideia: no dia escolhido, liguei para eles e falei que havia combinado de sair para jantar com uns amigos de faculdade depois do trabalho, e que eles não precisariam se preocupar em me buscar. Passei o resto da tarde contando os minutos até a hora de partir. "Thays! Você está no mundo da lua! Que acontece?", parecia mais um mantra repetido pelos companheiros do Tribunal. A última meia hora parecia uma eternidade. Quando finalmente chegou o momento de sair, consegui me livrar de todos e fui para o ponto de ônibus, sozinha. Lá, como era de esperar, na hora do *rush* havia uma multidão, todos impacientes e entediados aguardando a condução para ir para casa, como faziam diariamente, sem que aquilo tivesse algo de especial. Pedi para alguém me avisar quando chegasse o ônibus que eu deveria tomar.

E se a pessoa me indicasse o ônibus errado e eu fosse parar no outro lado da cidade? E se viessem os ônibus de todos e eu ficasse sozinha no ponto, como faria para pegar o meu? Essas e outras questões passavam voando por minha cabeça, fazendo o frio na barriga aumentar, mas logo o racional me fazia ver que aquilo não tinha sentido. Eu confirmaria o ônibus com o motorista antes de entrar, tinha muita gente lá esperando e mais gente chegando a todo momento. Quando meu ônibus chegou, alguém me indicou a porta e eu subi os degraus com uma leve palpitação. Expliquei para o motorista onde eu deveria descer. Eu tinha certo receio, mas qualquer sentimento de medo ou de dúvida tinha sido totalmente encoberto pelo entusiasmo de estar conseguindo superar essa barreira.

Quando cheguei ao meu destino, já era noite e havia pouco movimento. A melhor opção de caminho era seguir pela mesma calçada, que fazia parte de uma quadra bem extensa. Continuei caminhando. O barulho de copos e o burburinho animado de pessoas anunciavam que eu estava em frente ao bar próximo de casa. Agora eu apenas precisaria calcular os cinquenta metros que me separavam do trecho exato em que deveria atravessar a rua.

Naquela época eu morava na Vila Leopoldina, um bairro da Zona Oeste de São Paulo. Minha rua era uma das vias mais movimentadas daquela região, com um grande fluxo de carros cruzando dos dois lados. Meu maior medo era que meus pais estivessem na varanda bem naquele momento e a experiência não saísse conforme o planejado – ir até o fim por minha própria conta. Com a falta de prática, realmente custei muito a criar coragem para atravessar. Eu ouvia o silêncio, que era um indicador de que não tinha nenhum carro passando, mas, quando colocava o pé na rua, voltava imediatamente. Não sei quantas vezes fiz isso, nem quanto tempo fiquei esperando. Por mais que o silêncio fosse absoluto, eu ainda não tinha segurança e perdia o *timing*. Finalmente me decidi e atravessei. O coração estava disparado, mas cheguei ao outro lado da rua. Depois, era só subir mais um pouquinho e eu estaria na porta de casa.

É difícil descrever os sentimentos daquele momento. Era a sensação de se superar, a realização de atingir uma meta, um sentimento pleno de liberdade, de independência. Eu estava animadíssima para contar a meus pais minha odisseia. Quando toquei a campainha, minha mãe veio abrir a porta: "Já chegou?", perguntou surpresa.

Ninguém havia desconfiado de nada. Contei então toda a história e expliquei por que tinha vindo sozinha. Como eu já estava lá e tudo correu bem, eles até acharam bom, mas com todas as recomendações esperadas. A partir desse episódio passei a repetir a experiência com frequência, porém agora com o conhecimento de meus pais. Eles até me buscavam de vez em quando, mas alternando com o treino de autonomia, que eu acreditava ser o caminho que me levaria a realizar o sonho de ter meu cão-guia.

Otelo, ensaio para um cão-guia

Eu tinha uns sete anos quando ouvi falar a primeira vez em cão-guia.

Uma professora me contou sobre cães que, nos Estados Unidos e na Europa, ajudavam as pessoas com deficiência visual a se locomover e andar com segurança por todos os lugares. Segundo ela, os cães-guia eram muito respeitados pela comunidade e tinham livre acesso aos mais variados ambientes, como hospitais, escolas, restaurantes, transportes públicos. Isso aconteceu no início dos anos 1980, e a possibilidade de ter um cão-guia no Brasil era muito remota, já que não existia nenhuma escola de treinamento no país.

Otelo teria sido meu primeiro cão-guia. Foi uma história de muito desejo, expectativa, medo e frustração que começou numa tarde nublada de 1997.

Finalmente chegara o dia em que eu buscaria um filhote. Para mim, era o símbolo de minha independência. Fui ao canil da Polícia Militar acompanhada de um oficial conhecido, que também fazia a segurança do Tribunal. Fiquei aguardando aqueles longos minutos enquanto buscavam o filhote. Era um labrador preto. Eu o batizei de Otelo. Ele já tinha quatro meses de idade, mas havia alguma coisa estranha. Ele era muito fraquinho, mal conseguia ficar em pé. A explicação que me deram, e que eu não achei muito clara, era que ele havia ficado só na enfermaria, sem se movimentar muito, por falta de pessoal disponível para praticar exercícios com ele. Filhotes precisam se exercitar para ficar fortes, e como Otelo não tinha feito isso, estava praticamente atrofiado. Fiquei um pouco tensa e preocupada. Como é que um cão que seria guia, o meu cão-guia, a minha independência, estava daquele jeito, naquele estado? Naquele momento, porém, nada era suficiente para me demover da ideia. Fosse o que fosse, eu sabia que faria de tudo para aquele cão dar certo.

Essa história começou com grandes erros. O primeiro deles, mas isso eu só aprenderia depois, foi que não era eu quem deveria fazer o que se chama de "socialização do cão" em seus primeiros meses de vida. Esse processo, que dura quase um ano, consiste

Minha vida com Boris   25

em pegar o cão e levá-lo para todos os lugares em que ele fosse circular futuramente, de preferência já pensando nas necessidades de um futuro usuário. Acabei fazendo isso, mas não havia recebido nenhuma orientação especial da Polícia Militar para a tarefa.

A PM não tinha conhecimento específico para treinar um cão-guia, apenas o desejo de fazer algo importante para as pessoas com deficiência. Os policiais estavam interessados, leram livros, procuraram informação, mas não tinham formação. Eu, que também não tive nenhuma orientação, assim mesmo levei para casa um filhote que já estava grande – um labrador com quatro meses é imenso –, mas que, no caso do Otelo, mal conseguia ficar em pé.

Levamos Otelo ao veterinário, que recomendou muito cálcio, boa alimentação e vitaminas. Tudo o que fosse preciso seria providenciado, inclusive começar a passear para ele se exercitar.

Estava muito frio em seu primeiro dia em casa. Peguei um cobertor e fiquei com ele em meu quarto, procurando aconchegá-lo. Além de tudo, ele estava inseguro. Afinal, naquele ambiente tudo era novo e estranho. Ele ainda tinha de superar suas próprias limitações para se movimentar. Eu me lembro de que a Paula, minha irmã, foi ao quarto para visitá-lo e ele rosnou para ela. Fiquei preocupada, porém ela foi corajosa, se aproximou e, no fim, ele acabou se acostumando não só com ela, mas com as outras pessoas.

Acostumou-se até demais, porque todo mundo acabou mimando aquele cachorro. Certa vez, meu irmão Neto, que na época tinha uns vinte anos, pediu para deixá-lo passear com o Otelo. Deixei, mas dei uma série de recomendações e até marquei hora para eles voltarem. Passado um tempo, nada. Nem meu irmão nem Otelo. Comecei a ficar preocupada com os dois. Procura daqui, procura dali, nem sinal. Não era o tempo em que todo mundo saía com o celular a tiracolo. Tivemos mesmo de esperar para ter notícias. Quando finalmente o mistério se desfez, fiquei muito brava: Neto tinha levado o Otelo para um bar a que costumava ir com os amigos. Começou aquela roda de cerveja, churrasco, petiscos, todo mundo brincando com o Otelo, que foi a atração da noite. Meu irmão se esqueceu da vida e da hora de devolver meu cachorro. Os dois chegaram em casa tranquilamente, sãos e salvos, mas não a salvo de levar uma bronca daquelas. Claro, daquele dia em diante o Otelo ficou amicíssimo do meu irmão e não podia vê-lo sair que logo queria ir para a balada também. Depois desse primeiro período de adaptação, passei a levar o Otelo ao trabalho e à faculdade. Como ainda não existia legislação específica para a circulação livre dos cães-guia, fui conversar com o diretor, que deu uma autorização para o Otelo frequentar as aulas. Ele se tornou uma sensação, foi muito bem recebido por todos. Até os professores se sentavam no chão para brincar com ele. Era a práxis do "direito de ir e vir", meus colegas diziam. Também no Tribunal o presidente autorizou minha entrada com o Otelo. Todos que trabalhavam comigo adoravam cachorro. No primeiro dia, me senti a própria mãe que acaba de ter um bebê: todo mundo ia à minha sala e levava presentes: cama, osso, roupas, vasilhas, biscoito... Era o máximo. Otelo foi crescendo. Ficou grande e forte, sem sequelas daquele problema inicial de movimentos e firmeza.

No início era eu quem o guiava. Afinal, ele era apenas um filhote. Usava coleira normal e só passeava. Otelo era um cachorro muito especial. Inteligente, muito doce e, com aquele tamanho todo, aprontava das suas. No carro, quando meu pai me levava para a faculdade, ele não se conformava em ficar no banco de trás. Pulava para a frente, buscando meu colo. Ele ficava no meu pé o dia inteiro: na escrivaninha quando eu estudava, no telefone e à noite na hora de dormir. Não queria saber da cama dele: pulava na minha e dormia lá. Era muito divertido, muito gostoso, mas, até aí, eu não tinha a menor ideia do comportamento desejável para um filhote em socialização. Otelo não deveria ter toda aquela liberdade, isso para não prejudicar o futuro treinamento dele.

De vez em quando, eu até conseguia ensinar algumas coisas simples, como sentar e dar a pata. Ele era esperto e aprendia com facilidade. Passados dez meses, havia chegado a hora de o Otelo ser treinado para se tornar um cão-guia. Quando o levei ao canil da Polícia Militar, ninguém acreditou que fosse o mesmo cão. Ele estava lindo, forte e gigante. Eu me lembro de uma cena, uma dessas situações com cachorro que não tem muita lógica nem explicação. Na hora de sair do carro, ele não queria descer de jeito nenhum. Tivemos de sair primeiro, puxar pela coleira, mas nem assim ele vinha. No final, consegui entregá-lo para ser treinado. Chorei muito, mas era para o nosso bem e eu poderia vê-lo uma vez por semana, aos domingos. Nesses dias, ele fazia muita festa, pulava, não se continha de felicidade. Com a treinadora, ele se portava muito bem, mas comigo só queria brincar e fazer folia.

Assim foram se passando os meses. Eu sempre ligava para saber do treinamento do Otelo, mas não sentia segurança. Alegavam que estavam um pouco sem tempo para dar a atenção devida, precisavam de um prazo maior, era sempre mais um mês, mais dois, e eu comecei a pressionar. Um dia me chamaram e eu fui ao canil saber o que realmente estava acontecendo. Um oficial veio falar comigo. Ele contou que o Otelo não tinha sido... vamos dizer assim... aprovado. Ele não tinha o perfil para ser um cão-guia, mas, em compensação, havia revelado outras aptidões e mostrado ser o melhor farejador que o pessoal da PM já tinha visto.

Fiquei perplexa. Que história era aquela? Numa total falta de sensibilidade para a gravidade do que ele estava me contando, o oficial ainda declarou que eles gostariam de ficar com o Otelo para treiná-lo como farejador a serviço da PM. Ao menos eles reconheceram que, sendo meu cachorro, com quem eu tinha uma ligação afetiva, a mim caberia a decisão de continuar, ou não, com ele. Não tive a menor dúvida. Peguei meu cão e fui embora para casa.

Naquela época, tínhamos um poodle, a Minnie. Quando retornei com o Otelo, depois de um longo período fora de casa, ela nos recebeu muito agitada e latindo sem parar, como que fazendo fofoca para meus pais. Após tantos meses fora, já adulto, ele, que ainda não era castrado, começou a gerar alguns problemas, como fazer xixi dentro de casa. Imagine o tamanho do estrago. Meus pais foram ficando sem paciência e não estavam dando conta.

A situação chegou a um ponto crítico: Otelo teria de ir embora. Havia até uma forte razão que justificava a decisão: futuramente, eu poderia querer outro cão para ser guia e não daria para ficar com os dois. Ou melhor, três.

Fiquei arrasada. Já estava afeiçoada a ele. Era um vínculo reforçado também por expectativas que infelizmente não se cumpriram. Era minha independência que queriam mandar embora. Então, naquele momento, eu teria de trabalhar com duas frustrações: não ter conseguido realizar meu sonho de ter um cão-guia e ter de me desfazer de um cão do qual eu gostava muito. Emocionalmente era uma decisão difícil. Comecei a procurar alguém próximo que quisesse ficar com ele. Uma funcionária do Tribunal, que tinha uma casa com um quintal enorme e adorava o Otelo desde que ele era pequeno, ficou com ele. A despedida foi um drama. Eu e ele chorando. Ainda o visitei algumas vezes, mas depois desisti. Cada vez que nos encontrávamos, parecia que eu estava renovando nossa esperança de ficarmos juntos novamente. Foi melhor para nós dois. Foram necessários mais quatro anos para eu, enfim, encontrar aquele que, de fato, seria meu primeiro cão-guia.

A Leader Dogs no mapa

Em setembro de 1999, ao compartilhar com duas amigas a frustração que sentia em relação ao Otelo, elas iniciaram uma busca por escolas de cães-guia em todo o mundo que aceitassem candidatos estrangeiros. Depois de inúmeras negativas, recebemos uma resposta positiva e curiosa da americana Leader Dogs for the Blind. Eles haviam acabado de fechar uma parceria com o instrutor brasileiro, Moisés Vieira, que levaria no semestre seguinte quatro brasileiros para receberem cães-guia da escola. Não era incrível?!

Eles nos mandaram os contatos do instrutor, e imediatamente telefonei para ele para manifestar o desejo de fazer parte desse grupo. Depois de tantos anos, eu não queria esperar nem mais um minuto. Era tarde da noite, e ele logo esclareceu que já vinha sendo procurado por muitas pessoas de todas as partes do país e que eu não deveria alimentar esperanças. Além do mais, havia preferência por moradores de Santa Catarina – onde Moisés atuava –, para facilitar a unidade do grupo e o trabalho conjunto. Ele já me conhecia de uma reportagem com o Otelo, publicada na *Folha de S.Paulo*. Era uma chance, uma oportunidade rara, e eu estava convencida de que tinha de aproveitá-la. Depois de uma hora de ligação para Florianópolis, de começar ouvindo "é muito difícil", a frase final foi "até breve", quando ele já estava convencido e eu oficialmente incluída no processo de seleção.

Já era novembro quando Moisés veio a São Paulo para concluir a avaliação – uma série de entrevistas, testes de orientação e mobilidade, análises de rotina e produção de vídeo. As entrevistas eram feitas para identificar o perfil do futuro usuário, verificar a efetiva disponibilidade para assumir a responsabilidade por um cão, bem como outros aspectos e peculiaridades que pudessem ser relevantes. Minha família também foi entrevistada, porque era importante verificar se todos na casa seriam receptivos ao cão-guia. As habilidades em orientação e mobilidade, ou seja, a capacidade de se locomover e se orientar autonomamente, eram avaliadas observando-se a pessoa fazendo um percurso com a bengala. Essa performance foi filmada, e o vídeo encaminhado para a Leader Dogs.

Nesse aspecto, quase fui reprovada. Jamais gostei de usar a bengala, por isso a usava apenas para o estritamente necessário. Consequentemente, minha técnica era bastante precária. Por sorte, no momento em que os instrutores americanos avaliavam meu vídeo, Moisés estava com eles e pôde intervir, impedindo que eu fosse sumariamente descartada. Embora eu não dominasse as técnicas de uso da bengala, demonstrava boa capacidade de orientação espacial. Moisés destacou ainda um trecho em que eu me movia dentro da estação Marechal Deodoro do metrô em São Paulo. Situação em que ficava evidente minha habilidade para calcular distâncias e usar referências para saber o momento exato de virar à direita ou à esquerda, encontrar escadas rolantes e outras plataformas para fazer baldeação. Nesse momento, os americanos concordaram com Moisés. Eu tinha condições de permanecer no processo seletivo, já que, tendo uma boa percepção do ambiente, não teria dificuldades para dar as instruções ao cão a respeito dos trajetos. Mas ainda faltava a última etapa: verificar a disponibilidade de um cão compatível com meu perfil.

O sonho da promotoria

Enquanto aguardava a resposta, fui tocando a vida. Nesse meio-tempo, decidi prestar o concurso para a promotoria. A ansiedade de ficar esperando era muito desgastante. Eu precisava me ocupar. No fundo, tinha receio de ficar esperando por algo que poderia não acontecer. Então decidi me preparar para o concurso do Ministério Público. Concentrei minha energia nesse projeto e iniciei um plano de estudos. No final de fevereiro de 2000, quando já estava totalmente focada nesse novo objetivo, recebi um telefonema de Moisés: "Tenho uma boa notícia para você. Acabou de chegar um fax da Leader Dogs e você foi selecionada para receber um cão-guia".

O ser humano é interessante. Nossas reações são muito complexas. Acho que eu estava com tanto medo, por conta da experiência anterior com o Otelo, que devo ter desenvolvido algum mecanismo de defesa. Na hora em que ele deu a notícia, não consegui demonstrar o menor entusiasmo. Disse que precisaria pensar. Moisés ficou preocupado. Comecei a falar coisas sem sentido, que agora estava estudando para um concurso e essa história de cachorro me atrapalharia. Perplexo, Moisés falou apenas que precisava de uma resposta. Antes que ele dissesse mais alguma coisa, desliguei repetindo que eu realmente precisava pensar.

E agora? Eu estava meio perdida, sem saber o que queria fazer. Conversei com várias pessoas e muitas delas me aconselharam a priorizar o concurso. Diziam que mais tarde eu poderia ir atrás de outro cão-guia. Mas estava ali a chance de realizar, naquele momento, um desejo que eu tinha desde criança, um sonho de infância. Será que surgiria outra oportunidade como aquela? Era um dilema. Só uma boa noite de sono poderia trazer a resposta certa. Quando acordei, estava decidida a buscar o cão-guia.

Minha vida com Boris

Voando para Boris

Em 7 de abril de 2000, eu estava voando para os Estados Unidos rumo a meu grande sonho, a minha independência, a uma série de mudanças que eu nem sequer podia imaginar naquele momento que estavam por acontecer em minha vida. Mas eu pressentia. Sim, minha intuição, o coração disparado, o friozinho na barriga não deixavam dúvida. Algo muito importante e diferente estava para acontecer e mudar minha vida para sempre.

Era a primeira vez que eu fazia uma viagem ao exterior. Já havia andado de avião, mas a emoção da decolagem nunca tinha sido tão grande. Era como se decolar fosse a concretização de um sonho de infância que aguardou tanto tempo por aquela oportunidade. Estávamos voando para Nova York e de lá apanharíamos outro avião para Detroit, onde o pessoal da escola nos receberia. Durante o voo imaginava quem seria esse amigo cão que eu estava prestes a conhecer e compartilhar minha vida. Os instrutores de cães-guia brincam que o encontro entre cão-guia e usuário é como um casamento arranjado.

Chegamos a Nova York e tivemos de esperar por aproximadamente três horas pelo voo que nos levaria a Detroit. Aproveitamos para tomar café e jogar mais um pouco de conversa fora. Éramos cinco brasileiros. Além de mim, também viajavam em busca de seus primeiros cães-guia três catarinenses e, claro, Moisés.

Estávamos extremamente ansiosos e animados, mas nos esquecemos por algum tempo das expectativas e do típico cansaço de noite maldormida em avião quando descobrimos que estava nevando. Era a primeira vez que tínhamos contato com a neve. Nova York nos brindou com uma linda chuva de neve fora de época.

Já estava na hora de nossa conexão. Era preciso seguir até outro terminal, o que significava passar por uma área externa, ou seja, pela neve. "Thays, você não consegue andar um pouquinho mais rápido?", perguntava Moisés. Eu descaradamente mentia que "não", que a mala estava muito pesada. Essa última parte era verdade. Minha bagagem estava tão grande e pesada como só as malas femininas podem ser. Mas o que eu queria mesmo era curtir aquela chuvinha de neve. Para mim, era tudo parte de um grande ritual que deveria ser cumprido passo a passo até a completa realização de meu grande sonho.

Num certo rancho do Michigan

O voo até Detroit demorou pouco menos de três horas, mas pareceu mais longo que o anterior. A ansiedade aumentava a cada instante. Ao desembarcarmos, meu coração batia mais acelerado. Faltava apenas percorrer os trinta quilômetros que separavam o aeroporto do centro de treinamento, localizado na cidade vizinha de Rochester. Era a última etapa da viagem. Encontraríamos o pessoal da Leader Dogs, que nos levaria em um micro-ônibus da própria escola. Esse foi o trecho da viagem que, para mim, pareceu o mais longo de todos. Era um final de tarde de domingo. Mas, mesmo com o cansaço da viagem, estávamos todos animados.

Enfim chegamos à sede da Leader. Fui surpreendida com o nível das instalações e com a organização geral. Era uma ONG, entidade sem fins lucrativos; no entanto, percebia-se que os investimentos em infraestrutura e o nível de serviço deixariam muitas empresas brasileiras constrangidas.

Havia uma escadaria que dava acesso ao piso onde se encontravam todos os cômodos da escola. A arquitetura lembrava mais uma grande casa do que um alojamento, um centro de treinamento ou um hotel. À esquerda da escada ficava uma grande sala de refeições com quatro mesas redondas para oito pessoas. As cadeiras de madeira eram grandes e confortáveis. No centro das mesas havia um carrossel com adoçante, temperos, guardanapos e outros apetrechos. Tudo permanecia sempre na mesma ordem, com identificação em braile visando à autonomia dos estudantes, como eles nos chamavam.

Exatamente em frente à escada havia um escritório; e à direita, um grande corredor onde ficavam os quartos e demais dependências, todas identificadas em braile e também com números e letras ampliados para aqueles que tinham visão subnormal. Eram diversos espaços, como lavanderia, salas de café, de ginástica, de convivência e a copinha dos cães, onde ficavam grandes tonéis com ração e bandejas com biscoitos caninos. Aliás, naquele momento, aquelas eram as únicas coisas que indicavam alguma relação com cães, além de um canto de parede azulejado nos quartos com um gancho onde prenderíamos nossos cachorros.

Fomos recebidos com um lanche preparado um pouco fora de hora. Lá, todos os horários eram obedecidos rigorosamente. Depois, descobri que alguns dos dirigentes eram ex-militares. Durante a refeição, Moisés nos transmitiu mais algumas informações e também leu o cardápio da semana inteira. Outro fato muito curioso foi que nos pediram para escolher a bebida que gostaríamos que acompanhasse o café da manhã, o almoço e o jantar, que seriam servidos respectivamente às 7h30, às 12 horas e às 17h30. As opções eram suco, água, leite e café e, a menos que informássemos o desejo de alterar nossa opção, a bebida escolhida seria servida naquela refeição durante as quatro semanas de nossa estada.

Terminamos o lanche e, finalmente, poderíamos descansar. No dia seguinte começariam nossas aulas. Fui para o quarto, que compartilharia com outra brasileira, e desfiz as malas. Os quartos eram divididos em duas partes exatamente iguais, como se uma parte fosse espelho da outra. Em cada um dos lados havia uma cama no meio, uma escrivaninha à direita e um criado-mudo à esquerda. Ainda à esquerda do criado-mudo ficava o tal canto azulejado onde os cães permaneceriam. Pensei que seria muito bom se já tivesse um cão ali. Não sei se o excesso de emoções ou cansaço da viagem, mas alguma coisa me fazia sentir levemente insegura. Resolvi, como geralmente faço nessas situações, cuidar de mim mesma. Preferi não compartilhar aquele sentimento de fragilidade com outra pessoa. Com um cão seria muito diferente. É incrível como esses seres são capazes de nos compreender melhor do que nossos semelhantes.

Fui à sala de café e fiz um chá, que deixei ao lado da cama para tomar após o banho. Descobri mais duas coisas muito boas, especialmente para aquele momento de exaustão: a primeira, a ducha do banheiro era fantástica, com um grande volume de água, e ficava ainda melhor com o relaxante aroma de camomila do gel de banho que eu havia levado. A segunda, a cama maravilhosa, confortável e muito bem-arrumada, onde adormeci sem pensar em mais nada.

Alta ansiedade

Quando o despertador tocou na manhã seguinte, eu já estava acordada e meu coração batia com alguns sobressaltos. Pulei da cama e corri para tomar um banho. Foi um daqueles de lavar a alma. Tudo deveria ser feito cuidadosamente. Aproveitei para lavar os cabelos e demorei um pouco a decidir qual seria a melhor roupa para aquele dia. Confesso que por uma fração de segundo pensei que poderia estar sendo um pouco ridícula, mas nunca se sabe os critérios caninos... Por fim me convenci pensando que todo aquele ritual era para o momento em que eu estaria frente a frente com meu sonho, aquele de infância, que passou para a adolescência e agora, aos 26 anos, estava prestes a ser realizado.

Durante o café, naquela manhã, sentia-se a ansiedade no ar. Havia momentos de silêncio quase absoluto alternados com outros em que o volume de vozes exaltadas beirava o insuportável. O tilintar de talheres e louças evidenciava a agitação de todos, assim como os estalidos das cadeiras nas quais ninguém parecia encontrar posição confortável.

A manhã prosseguiu com as aulas teóricas e atividades de um dia normal. Finalmente chegou a hora do almoço, última atividade antes do grande momento. Mas eu me sentia como se tivesse acabado de ingerir o café da manhã, era difícil engolir qualquer coisa. Retiramo-nos rapidamente para nossos quartos sem nenhuma disposição para o dedinho de prosa que costumava finalizar as refeições. Quando cheguei ao dormitório, minha colega já estava lá. "Não aguento mais esta espera", desabafei. Ela também falou sobre sua ansiedade, e permanecemos lá dentro, conforme as orientações que recebemos. De minuto em minuto eu ia até a porta do quarto e a abria para tentar ouvir alguma coisa, uma conversa, um latido, qualquer sinal de que já haviam começado a entrega. Mas nada. O máximo que conseguia era escutar uma ou outra porta se abrindo, provavelmente na mesma busca desesperada.

De repente, aparece Moisés na porta e anuncia para minha colega de quarto: "O seu é o próximo. É uma fêmea de labrador, chama-se Tess, a idade dela é...". E continuou dando informações e orientações do que deveria ser feito. Ao final, quando eu já estava à beira de um ataque de nervos, ele informou que o meu viria em seguida. Enquanto isso, a Tess já havia se aproximado de mim. Com o restinho de autocontrole que me restava, atendi a todas as orientações e ignorei completamente a cachorra, que parecia não entender nada. Eles haviam distribuído biscoitinhos, que deveríamos deixar inicialmente escondidos. Quando chamássemos os cães e eles atendessem, deveríamos fazer muita festa e, como prêmio, eles ganhavam um biscoito. A Tess ia para o meu lado, mas eu tinha de ficar quietinha. Quando viesse o meu cão, minha colega teria de fazer o mesmo. Eu ainda deveria contar com a desvantagem de que o meu cachorro se distrairia com a cachorra dela.

Meu primeiro encontro com Boris

"É um labrador!", disse Moisés, próximo à porta de onde surgiam os cães. "A cor é amarela, pesa 27 quilos, tem dezoito meses e seu nome é Tips. Um macho. Chame pelo nome, que ele vem", disseram os instrutores, e foram buscá-lo. Quando ele chegou, meu coração quase saiu pela boca. Eu chamava "Tips, Tips" e fazia aquela festa. Ele veio, eu dei o biscoitinho. Ele pegou e rapidamente foi ver a amiga dele, a Tess. Não estava nem aí para mim: "Quem é você, que nem conheço?", ele parecia dizer. Fez uma festinha e agradeceu pelos biscoitos. Foi tudo. Fiquei meio preocupada.

É interessante como alimentamos algumas fantasias a respeito das relações. Muita gente acha que você entra no canil e é o cachorro que escolhe você. Aquela coisa de amor à primeira vista. Na verdade, o cão foi selecionado por critérios bastante racionais, por razões de afinidade e pela previsão de que seríamos uma dupla bem interessante, que a relação se desenvolveria bem e que seria bom tanto para um como para o outro.

Mesmo ciente de tudo isso, ainda assim eu ficava pensando: "Acho que ele não gostou muito de mim", "acho que também não gostei tanto dele". Desde o começo havíamos sido alertados para não criar ilusões. Quando o cachorro chega, ele não conhece você. Não é para ficar agarrando, abraçando, apertando. Você ainda é um estranho para ele. A aproximação tem de ser gradual. Você dá um biscoito, faz um carinho, deixa-o cheirar você, mas sem pressionar. Isso deveria valer para todo tipo de relação: afetiva, profissional, de amizade; as coisas têm de ser naturais, aos poucos, sem sufocar o outro com nossas ansiedades, desejos e inseguranças.

A instrução seguinte era para colocar as guias nos cães e prendê-los no gancho do tal canto azulejado. A vontade era pegar o cachorro, colocar debaixo das cobertas e ficar lá com ele. Fiquei sentada no chão e o Tips começou a lamber minha mão sem parar. Fiquei encantada. Só me incomodava o nome: Tips. Achei infantil para o cão que seria para mim um verdadeiro super-herói. Tinha de ser um nome simples, com poucas sílabas. Moisés estava me ajudando naquela busca. Após muitas sugestões surgiu Boris, um nome forte, que parecia combinar perfeitamente com ele, que continuava lambendo minha mão. Moisés me perguntou se eu havia comido alguma coisa. Então me lembrei do hidratante de baunilha que havia usado no banho... E eu crente que o cachorro já havia se apaixonado por mim.

Ficaríamos com nossos cães no quarto até o final da tarde, quando faríamos a primeira sessão de obediência. Era difícil imaginar alguma atividade interessante para fazermos juntos, uma vez que as restrições eram totais. Não podia soltá-lo daquela guia, que media algo em torno de setenta centímetros. Passei muito tempo ali, contemplativamente, tentando conhecer um pouco daquele que seria, a partir de então, meu grande parceiro.

A primeira coisa que descobri é que ele era extremamente agitado. Não curtia nem um pouco ficar ali preso, deitado, sem fazer nada. Isso ficava claro em seus suspiros profundos de tédio. Vez ou outra, ele levantava a cabeça como que perguntando: "Você vai ficar quanto tempo aí? Acha isso divertido? Não há nada mais interessante para nós fazermos?". Cansada de ficar naquela posição desconfortável e sem sinais de receptividade, resolvi me deitar um pouco para ler.

Mal se passaram cinco minutos, o Boris se levantou e tentou se aproximar de minha cama, o que não era possível por conta da guia. "Então você gosta de se fazer de difícil, não é, seu cachorro folgado!" Fiz que não estava percebendo e continuei minha leitura. Ele então usou todos os seus artifícios para chamar a minha atenção. Sacudiu-se inteiro, fazendo aquele barulho de orelhas e correntes, raspou as patas no chão, deu um espirro, e, como nada adiantava, deu um latido meio choroso. Não resistindo mais, estendi a mão, perguntando o que ele queria. Ele respondeu com uma lambida. Começava a ficar claro o quanto ele gostava de desafios.

Às dezessete horas tocou o sinal que anunciava o momento da refeição dos cães. Fui até a copa com a vasilha do Boris para buscar comida para ele e ter as primeiras orientações a esse respeito. Informaram que o Boris estava um pouco abaixo do peso e que deveria receber um pouco mais de comida até ganhar um ou dois quilos. Também indicaram a bandeja em que ficavam biscoitos gigantes para que os cães comessem pela manhã. Naquela hora, ouviam-se choros e latidos vindos de quase todos os quartos. Os cães comiam apenas uma vez por dia, rigorosamente no mesmo horário, e, portanto, ficavam ansiosíssimos por aquele momento. Também pesava o fato de serem quase todos labradores, compulsivamente gulosos, capazes de fazer qualquer negócio por comida.

Depois de alimentarmos os cães, fomos para o nosso jantar. Era a primeira vez que transitaríamos com eles. Ainda não estariam nos guiando. Seriam conduzidos por nós, como cachorros comuns, sem o equipamento próprio de cão-guia.

São dois os equipamentos básicos utilizados pelos cães-guia. O primeiro é uma coleira na qual está presa uma guia que tem a função de controlar o cão e corrigi-lo quando necessário. O outro é uma alça rígida, em forma de U, cada uma das extremidades presas nas laterais de um colete peitoral que serve especificamente para o trabalho de guia. Ao segurá-la, é possível sentir os movimentos do cão, se ele vira para a esquerda ou para a direita, se desce ou sobe um degrau.

A cena no corredor da escola, antes do jantar, foi bastante divertida. Vinte e quatro pessoas tentando controlar 24 cães ávidos por conhecer o novo ambiente, rever seus colegas caninos de classe e conhecer seus novos colegas humanos. Era uma profusão de comandos em inglês, português e espanhol. Ou alguma mistura desses idiomas, na tentativa de fazer com que os cães sentassem e permanecessem a nosso lado na fila, cujo conceito para eles parecia completamente desconhecido.

Boris era um dos destaques na ocasião. Apesar de sua magreza, era impressionante a sua força. Ele puxava muito a fim de alcançar o cão que estava à nossa frente. Eu puxava de volta, dava o comando para ele sentar, e nada. Lá estava ele puxando de novo. Simplesmente parecia ignorar a corrente em seu pescoço que apertava quanto mais ele fizesse força. Moisés se aproximou e chamou a minha atenção: "Thays, seja mais firme. Dê um tranco e fale energicamente com ele. Se você ficar puxando a guia para trás enquanto ele puxa para a frente, ele vai gostar e entender isso como um cabo de guerra, um desafio de força". Fiz conforme o recomendado, ele retrocedeu; dei o comando para que ele sentasse, Boris atendeu e em seguida se deitou no chão. Quando percebi, ele já havia se arrastado sorrateiramente até o seu alvo: o cão da frente.

O dia terminou com o último *park time* dos cães, oportunidade para que eles fizessem suas necessidades. Nos horários estabelecidos, levávamos os cães para uma área externa da escola em que havia vários retângulos no chão cheios de pedrinhas. Tirávamos os equipamentos de trabalho, alongávamos a guia e dizíamos *park time*. Cada cão tinha seu próprio retângulo, que media em torno de 2,5 metros por 1,5 metro. Esse ritual acontecia seis vezes por dia.

Uma das primeiras coisas que aprendemos foi como recolher os detritos dos cães, um procedimento bastante simples, mas infelizmente pouco praticado pelos donos de cães no Brasil. Bastava vestir um saquinho como se fosse uma luva e recolher tudo. Com a outra mão, invertia-se o saquinho, virando-o do avesso e pronto. Lá estavam os detritos no devido lugar, sem contato algum das mãos com a sujeira e nada de chão nojento para trás. Depois era só dar um nó e jogar no cesto de lixo. Era simples identificarmos onde os cães haviam feito suas necessidades. Quando começavam a rodar, já sabíamos que estavam procurando uma posição. Ao pararem, corríamos a mão levemente pela guia de forma que encontrávamos onde estava a cabeça. Calculávamos que os detritos estariam do lado oposto, a pouca distância.

Boris ou Senna?

O cão-guia deve ser tratado de forma muito firme nas correções. "Não" é "não". Para o cão, ou é "não" ou é "sim". Não tem essa história de achar que o cachorro não vai gostar de você se for repreendido. Esse foi outro aprendizado importante. Acho que temos tanto medo da rejeição que até com os cães acreditamos que ceder vai ser melhor para a relação. E não é verdade. Nem para os humanos nem para os cães. Muitas vezes caímos na tentação de fazer até coisas que não nos agradam, acreditando que é o melhor para conquistar as pessoas e fazê-las gostar mais de nós. Para os cachorros, quanto mais claras forem as coisas, mais ele vai respeitar e gostar de você.

No treinamento, as etapas e os graus de dificuldade a que nos submetemos vão avançando de forma progressiva. No primeiro dia de atividades externas, após uma longa espera chegou minha vez de sair com o Boris. Deveria pedir a ele que encontrasse a porta de saída para a rua, o que ele fez sem hesitação. Incrível, como aqueles poucos metros deram-me uma enorme sensação de liberdade. Poder seguir em uma linha reta para sair de um ambiente sem precisar esquadrinhar paredes até encontrar uma porta era maravilhoso. Tão natural, tão simples e tão importante.

Esse primeiro passeio com o cão guiando era bastante básico. Deveríamos sair do prédio, seguir para a direita até encontrarmos a primeira esquina, voltar à esquina anterior e entrar no prédio novamente. Tudo perfeito. Boris foi ótimo e eu não me continha de alegria. Agora parecia que nada mais poderia atrapalhar meu sonho. Porém não foi bem assim. Os dias seguintes não foram nada fáceis. Tive que aprender na prática, e bem rápido, o verdadeiro significado do exercício de liderança

Ainda na primeira semana enfrentaríamos um circuito em que seriam incluídos os obstáculos aéreos. Muita gente nem imagina do que se trata: obstáculos aéreos são qualquer tipo de objeto cuja base seja mais estreita, por exemplo, os orelhões. Ou que não tenha uma base apoiada no chão, como as cancelas de garagem ou uma porta superior de armário que alguém esquece aberta. Nesses casos, a pessoa com deficiência visual que utiliza bengala não tem como evitar uma batida no ombro ou na cabeça. A melhor solução continua sendo a reeducação para evitar essas e outras barreiras que dificultam o dia a dia de pessoas com deficiências visuais.

Os primeiros treinamentos com obstáculos aéreos foram feitos numa pista simulada, com objetos de espuma ou isopor. Adivinha o que o Boris aprontava? Saía a toda, passava por baixo dos obstáculos, não estava nem aí.

Passada a primeira semana, o Boris não me colocava mais em situação de risco. Desviava de todos os obstáculos, mas ainda resistia em seguir minhas orientações e continuava com suas traquinagens. Seu repertório era bastante diversificado: desde não fazer as necessidades durante o *park time* (e demarcar território em nossas caminhadas) até um tranco que me deu uma vez para sair correndo atrás de um esquilo. Devo confessar que achava graça de suas molecagens. Por outro lado, começava a ficar preocupada com sua resistência, e me lembro de o Moisés ter me dito uma vez: "O Boris é um cachorro dominante que resiste mais do que os outros cães, ainda está disputando a liderança com você. Mas em compensação, na hora em que ele a aceitar como líder, você vai ter uma surpresa".

Um dos momentos mais marcantes do treinamento foi caminhar uma trilha de 1,5 quilômetro que ficava em meio a uma reserva florestal. Não havia obstáculos. Era só caminhar, curtir a sensação de liberdade, o ventinho no rosto, o corpo em movimento e a consolidação da parceria com o Boris em cada passo.

Sempre gostei muito de caminhar, mas ficava estressada em lidar com a bengala. A caminhada, acho que para todo mundo que gosta de andar, é um momento para espairecer. E eu acabava me privando de ter esse momento comigo mesma, de introspecção, proporcionado pelo simples ato de caminhar só. Quando fiz essa trilha com o Boris, pude, enfim, andar na velocidade que bem quisesse. Adorei a experiência. Tanto que enquanto algumas pessoas faziam só a ida, ou mesmo ida e volta, eu e o Boris fizemos o percurso completo duas vezes.

Era uma sensação maravilhosa de liberdade, e eu sentia que estava cada vez mais perto de realizar antigos sonhos. Coisas simples e pequenas como ir até a padaria da esquina para comprar um chocolate sem depender de ninguém ou tendo de lidar com a bengala. Outro desses pequenos grandes sonhos era caminhar à beira-mar. Essa era uma das coisas que eu imaginava enquanto fazia a trilha com o Boris.

Mas não seria o Boris se ele não aprontasse alguma. Para os cães liderança tem a ver com estar, fisicamente, à frente do grupo. O Boris, no meio de toda aquela gente e de todos aqueles cachorros, corria querendo ultrapassar todo mundo. No dia seguinte, por conta do apressadinho, fomos colocados no fim da fila para percorrer a trilha a uma boa distância do restante do grupo. Adiantou? A única diferença é que eu tive de correr mais rápido porque o Boris continuou ultrapassando todos os outros cães e chegou novamente em primeiro lugar. Foi aí que ele ganhou dos espanhóis o apelido de Ayrton Senna.

Durante o tempo em que ficamos na escola, praticamente não saíamos após os horários de treinamento. Até era permitido, desde que não levássemos os cães e estivéssemos de volta a tempo de atender a suas necessidades. Acabávamos ficando por lá mesmo e aproveitando as opções de lazer que nos ofereciam, como televisão, aparelhos de som, piano, violão ou jogos. Lembro-me de uma vez em que estava sozinha com o Boris, seguindo uma rota predefinida pelos instrutores, que nos acompanhavam à distância e de bicicleta, interferindo apenas em casos extremos. No dia anterior havia chovido muito e, em determinado trecho, o Boris resolveu empacar. Eu o mandava seguir e nada. Ele teimava em pegar um atalho, e eu insistia para que ele seguisse em frente. Ele queria, a qualquer custo, me fazer subir em um montinho de terra e grama que ficava próximo da rua. Eu, que já estava escolada com as coisas que ele aprontava, fui bem enérgica. Mas ele nada de seguir adiante. Daí, o Boris resolveu me levar para o outro lado. Quando me dei conta, estava dentro do jardim de uma casa. Foi então que chegou Moisés, que havia acompanhado a cena de longe, para esclarecer que ali havia uma grande poça de água. Enquanto todos os outros cães passaram pela água, Boris a evitou e ainda me deu uma alternativa. Até hoje acho maravilhoso lembrar o quanto Boris já era um cachorro cuidadoso.

Um dos muitos testes que enfrentamos durante o treinamento foi realizado em um salão da escola. Deveríamos manter nossos cães sentados sob nossas cadeiras enquanto os instrutores colocavam para funcionar no chão diversos brinquedinhos de corda, que se movimentavam e faziam uma grande barulheira. O desafio era não deixar que os cães saíssem do lugar. O que estava sendo treinado naquela situação era o controle para situações semelhantes de desvio de atenção que ocorrem no dia a dia. Os instrutores aprontaram todas, inclusive trouxeram um cão estranho àquele grupo. Era o pastor-alemão do Greg, o antigo instrutor do Boris. O ponto alto foi quando soltaram, sem qualquer aviso prévio, um gato no meio da sala. Os cães foram à loucura. Mas a prova de fogo aconteceu no dia em que fomos instruídos a ficar dando voltas no salão. Detalhe: o chão estava repleto de ração, biscoitos, brinquedinhos de borracha, e não poderíamos deixá-los pegar nada. Nem mesmo abaixar o focinho para cheirar.

Um momento marcante dessa fase de treinamento foi o encontro entre os usuários, os cães e as famílias socializadoras. Essas famílias fazem voluntariamente um dos trabalhos mais importantes para a formação de um cão-guia. Com mais ou menos seis semanas de idade, a ninhada passa pelo desmame e logo cada filhote é entregue a uma família voluntária para ser socializado. Elas adotam os filhotes quando eles têm por volta de dois meses de idade. Sob a orientação e supervisão dos instrutores da escola, a família fica com o cãozinho em sua casa, tendo a responsabilidade de levá-lo para conhecer os mais diversos tipos de ambiente, como restaurantes, cinemas, supermercados, escritórios, transportes públicos e outros. Devem ser ensinadas boas maneiras aos pequenos, como não subir nos sofás, não pedir comida à mesa, não latir descontroladamente, entre outros comportamentos desejáveis para um cão que no futuro exercerá sua nobre tarefa sem incomodar outras pessoas.

As famílias socializadoras ficam cerca de um ano com esses filhotes até que eles estejam maduros e possam ir para a escola. Lá, eles permanecem por volta de quatro meses até se formarem como cães-guia. A família é selecionada de forma muito rigorosa, pois dizem que é dela grande parte da responsabilidade pelo resultado no treinamento de um cão-guia.

É um trabalho voluntário feito com muito carinho e dedicação, em que se procura expor o filhote às mais variadas experiências para que tudo se torne natural, sem muita novidade para ele. A socializadora do Boris, coordenadora pedagógica de uma escolinha infantil, contou que ele era o quinto cão que sua família socializava. Ele a acompanhava diariamente no período da tarde e ficava com as crianças que tinham de três a cinco anos. Disse também que dois dos aluninhos dormiam com ele no mesmo cobertor. Ele era apaixonado por crianças por conta da intensa convivência com elas. Ela recordou que ele sempre foi um cão muito doce, mas era um dos mais teimosos que já tinha visto. Contou várias peripécias que ele aprontou, uma delas no Natal, quando brincando e correndo pela sala, estabanado como só os labradores conseguem ser, derrubou a árvore e ficou enroscado nos enfeites e pisca-piscas com aquela cara de "foi mal, hein, desculpa aí".

Boris chega ao Brasil

Após quatro semanas de treinamento, era chegada a hora de voltar ao Brasil e retomar minha vida. Ou melhor, dar início a uma nova vida que eu ainda estava por descobrir. Enquanto fazia as malas, era inevitável comparar o que eu trouxe e o que estava levando comigo. Sentia uma forte emoção a cada nova peça do enxoval do Boris, que eu incluía na agora "nossa" bagagem. Vasilha de água, brinquedos, ossinhos, biscoitos, escova, pente, cada objeto tornava-se um símbolo, a concretização dos laços criados com esse novo parceiro que fez as palavras dedicação, confiança e cumplicidade ganharem um novo significado para mim. Por outro lado, eu estava deixando para trás todas as inseguranças, medos e incertezas. Estava levando para o Brasil um companheiro que havia se revelado um dos melhores guias daquela turma, e, para mim, o melhor cão do mundo.

Despedidas costumam ser tristes, mas, quando cheguei ao aeroporto, acho que era a criatura mais feliz de todo o território americano. Eu sentiria muita saudade daqueles ianques, e uma parte do meu coração ficaria para sempre naquele lugar que me acolheu com tanto carinho. Era eternamente grata a todas aquelas pessoas. Por um momento, na hora do *check-in*, veio uma rápida lembrança: "a bengala". Eu havia me esquecido da bengala num canto do quarto. Foi muito significativo e foi a última vez que me lembrei desse acessório.

A volta para o Brasil foi uma sensação. Imagine quatro labradores embarcando num voo internacional e viajando como gente na cabine de passageiros. Houve todo um preparo para que eles enfrentassem as doze horas de voo sem estresse. Foi preciso fazer jejum para não deixá-los ansiosos por fazer suas necessidades. Por sorte o avião não estava muito lotado e pudemos nos acomodar com bastante conforto. Os cães vieram deitados no chão ao nosso lado e caíram no sono assim que o avião decolou. Nenhum dos terríveis rituais típicos dos longos voos, como o burburinho do serviço de jantar, nem mesmo quando todo mundo já estava acordando para o café da manhã, perturbou o ronco do Boris, que parecia sonhar o tempo todo, bem satisfeito. Só por uma vez ele levantou a cabeça como dizendo: "E aí, falta muito?". Sem esperar resposta, bocejou, virou para o outro lado e caiu no sono novamente. Os cães vieram tranquilos e chegaram muito bem.

Durante a viagem eu ainda duvidava se tudo aquilo não tinha sido um sonho. Minhas expectativas para a volta eram de como seria, dali para diante, minha vida com o Boris. Agora era a realidade. Estava chegando com meu cão-guia ao Brasil. Nessa fase de adaptação, a princípio Moisés daria suporte aos três catarinenses. Depois seria minha vez em São Paulo. Segui com todo o grupo para Florianópolis, onde nos hospedamos num hotel. Se tivesse ido direto para São Paulo, eu teria de ficar em casa aguardando instruções, sem poder sair com o Boris, já que as primeiras saídas deveriam ser supervisionadas por um instrutor.

Boris, é óbvio, continuava aprontando das suas. Ele ainda estava se acostumando com o português: afinal, tinha sido criado ouvindo inglês, e a sonoridade da língua ainda era muito familiar para ele. Certo dia, havia um grupo de americanos tomando café no hotel. Boris, que sempre procurava uma mesa vazia para mim, daquela vez, atraído pelo som de seus compatriotas, acabou me levando para a mesa onde estavam os gringos. Indicou-me uma cadeira vazia e ficou aguardando que eu me acomodasse. Quando entendi o que estava acontecendo, pedi desculpas e solicitei ao Boris que encontrasse outra mesa para nós.

Me, you, você

Assim que chegamos dos Estados Unidos, decidi que aprenderia a falar inglês decentemente. Não aguentava mais o Boris zombando de mim cada vez que eu pronunciava alguma palavra de forma estranha ou ficava pensando para construir uma frase.

No primeiro dia de aula uma funcionária me acompanhou até a sala, assim o Boris aprenderia o caminho. Quando desejamos ir a um lugar pela primeira vez, temos duas opções de orientação para o cão-guia. A primeira é pedir para alguém acompanhar. Durante todo o caminho é preciso dizer o nome do lugar, por exemplo: "Boris, vamos para a sala de aula". Ao chegar, é importante valorizar o trabalho do cão, repetindo o nome que foi determinado para aquele local. A segunda opção é pedir informações detalhadas e referências do caminho para alguém. Depois, o próprio condutor orienta o cão com frases como "vire à direita, encontre uma escada, vire à esquerda, encontre uma porta etc.".

No segundo dia de aula, a mesma funcionária se ofereceu para nos acompanhar até a sala. Aceitei, pois geralmente os cães-guia aprendem um caminho depois de três ou quatro repetições. Pedi para o Boris encontrar a sala e seguir a funcionária. Ele, mostrando-se indignado, fez como sempre faz quando quer deixar claro que já sabe onde fica o bendito lugar: passou à frente, me obrigando a segui-lo pelos corredores da escola. Parou na frente da porta da minha sala, virou-se para nós e deu aquele tradicional espirro de quem diz: "*Yes! I am the best!* Sou um gênio, isso é muito fácil para mim". Fiquei com cara de tonta, cumprimentei o Boris pelo feito e agradeci à funcionária, que não poupou elogios a ele.

Entramos na sala, conversamos com todos os presentes, graças ao Boris, claro. Quando começou a aula e ele descobriu que eu havia me matriculado no nível básico, deixou bem evidente seu tédio, bocejando todo o tempo. Depois de umas dez ou doze aulas, não aguentando mais nosso inglês macarrônico, o Boris tentou me fazer avançar de estágio a qualquer custo. Coincidência ou não, toda vez que íamos para a aula, ele parava por um instante em frente a uma das salas em que os alunos tinham aula de conversação avançada.

Precisei ter um papo sério com ele, mostrando que eu estava me esforçando para aprender inglês. Ele, que também estava aprendendo português, deveria ser mais compreensivo. Parece que ele entendeu e, a partir disso, passou a ser mais solidário.

Cães à beira de um ataque de ciúme

Haveria muitas situações pela frente que eu ainda teria de administrar. A recepção dos dois poodles da família, que eu adorava, não foi nada amigável. Minnie, que era mais velha e já estava conosco havia um bom tempo, e Bill, que foi encontrado perdido numa pracinha e adotado por nós.

Uma fêmea e dois machos. Era um problema e tanto. Sempre que cães que ainda não se conhecem vão ser apresentados, isso deve ser feito fora do território de qualquer um deles. Por saber disso, a apresentação foi feita na calçada, mas eles não simpatizaram um com o outro.

Bill rosnava, revoltado, como se fosse uma traição a presença do novo cachorro e nunca me perdoou por isso. Minnie, que era mais medrosa, ficou na dela e com medo daquele cachorrão, mas não deixava de rosnar quando o Boris tentava um pouco mais de intimidade. Quando um cão precisa dominar o território, começa a fazer xixi em todos os cantos possíveis para demarcar limites e mostrar autoridade. A relação de disputa de liderança chegou ao auge quando a Minnie entrou no cio. Até aí o Bill não sabia, e nem tinha como adivinhar, que o Boris não representava uma ameaça, até porque ele era um cachorro castrado. Ficou impossível manter os três juntos na mesma casa. Foi uma decisão difícil e complexa que afetou toda a família. Eu senti muito porque o sofrimento se espalhou por todos da casa, cada um por suas próprias razões. Foi realmente um começo complicado.

Nos primeiros dias eu pegava o Boris e dava umas voltas nas quadras próximas de casa. Finalmente eu podia sair sozinha para comprar sorvete, pão quentinho e o tal do chocolate. Tudo era pretexto para mais um passeio. Um de nossos preferidos era a praça Boaçava, um verdadeiro oásis. Nós caminhávamos até lá, eu sentava no banco e ficava só curtindo o momento. Soltava o Boris para ele brincar com outros cachorros e ele se divertia bastante. Ele ainda fazia uma espécie de show para os frequentadores. Com uma vasilha na mão, eu pedia para ele encontrar água e me levar até o bebedouro.

Até então eu estava de férias. Mas logo voltaria a trabalhar e precisava treinar, agora com o Boris, meu caminho para ir ao Ministério Público, lá no centro velho da cidade. Eu pegava o ônibus no ponto em frente à minha casa e seguia até a estação Marechal Deodoro. Descia as escadarias, aguardava o metrô que me levaria à Praça da Sé, onde eu fazia a baldeação para finalmente descer na estação São Bento. A partir daí, atravessava por dentro de uma galeria e já saía na rua Líbero Badaró, onde ficava o Ministério Público. Andava mais um pouco e chegava ao prédio. Moisés e eu programamos o treinamento para o dia anterior à minha volta ao trabalho.

Saímos os três, e eu estava bem à vontade, pois conhecia muito bem aquele percurso e não tinha o que dar errado. Bastava dar as orientações corretas ao Boris e pronto. No início, a recomendação era que eu realizasse apenas os trajetos que dominasse bem. E, mais importante ainda, que houvesse continuidade, ou seja, que realizasse o percurso do início ao fim. Mas isso não foi possível naquela primeira vez.

BORIS, *PERSONA* PÚBLICA

A batalha no metrô

NAQUELA MANHÃ DE MAIO o clima ameno combinava perfeitamente com a satisfação que eu sentia por estar retornando ao trabalho com muito mais liberdade. Boris também estava tranquilo e feliz. O que não poderíamos imaginar é que estávamos saindo de casa para fazer história.

Quando o primeiro funcionário do Metrô informou que eu não poderia entrar com o Boris, achei quase natural, mas quando ouvi um quarto funcionário dizer que o Jurídico havia mandado o recado que eu não poderia mesmo entrar com o cão, eu simplesmente não queria acreditar.

Naquela época eu trabalhava no Ministério Público em um Grupo Especial de Proteção aos Direitos das Pessoas com Deficiência. Decidi ligar para os promotores, que se prontificaram a entrar em contato com os advogados do Metrô. Havia promessas de que a situação seria resolvida, mas o tempo continuava passando.

O problema era sério e, tecnicamente, ou seja, do ponto de vista do Boris, era seriíssimo, porque criou um transtorno no treinamento dele. De tanto eu ir e voltar para o orelhão que eu estava usando para fazer ligações e tentar solucionar o problema, o Boris começou a achar que orelhão era uma coisa boa. Ele estava formando uma imagem positiva de um obstáculo que deveria evitar. Esse equívoco precisou ser corrigido depois com um treinamento específico.

A confusão nos tomou cerca de duas horas. Moisés e eu resolvemos deixar para resolver a questão administrativamente por telefone e voltamos para casa. O treinamento do Boris, que era o objetivo de estarmos fazendo tudo aquilo, seria ainda mais prejudicado se permanecêssemos um minuto a mais naquele lugar. No mesmo dia, ainda liguei para uma advogada do Metrô, que prometeu uma solução para o dia seguinte. Ela pediu que passássemos para eles um fax com a cópia da lei e também um pedido formal para que fosse autorizado o acesso do Boris à estação. Dessa forma, não haveria mais problemas. Passei o fax e, no dia seguinte, lá fomos nós três novamente para a estação. Na verdade, o Boris foi direto... adivinhe para onde? Para o orelhão! Tudo bem, isso a gente resolveria depois.

Lá fomos nós em busca da escada rolante por onde já tínhamos circulado no dia anterior. Quando fui passar pela catraca, novamente escuto: "Não pode". De nada adiantou argumentar que já havíamos atendido à solicitação da advogada, que mandamos o fax, fizemos tudo o que nos foi pedido. Diante de nossa insistência, ligaram no Departamento Jurídico para confirmar a história. Ouviram como resposta que não houve tempo para análise, para um parecer, e começou a enrolação.

Tudo de novo. Formou-se um tumulto e um usuário acabou chamando a polícia. A história precisou ser contada mais uma vez. Expliquei que havia sido impedida de entrar e mostrei a cópia da lei, que não estava sendo respeitada. O policial me deu razão e mandou que se cumprisse a lei. Ele me orientou a passar pela catraca com o Boris. Se alguém tentasse me impedir, seria autuado. Após a advertência, por incrível que pareça, e na presença do policial, assim que eu e Boris cruzamos a catraca e demos os primeiros passos em direção à plataforma de embarque, senti dois braços segurarem meu ombro. Eu não queria acreditar que eles haviam chegado a esse ponto.

Só havia uma coisa a ser feita naquele momento: o policial levou todo mundo para a delegacia que ficava dentro da própria estação. Foi aquela confusão para fazer o boletim de ocorrência. Naquele dia, ficamos sete horas envolvidos nessa discussão, somando-se o tempo perdido na estação e na delegacia.

Tentei fazer prevalecer o racional naquela situação completamente irracional. Eu, que estava feliz de ter conseguido um instrumento que facilitaria minha vida, não me conformava que pessoas desinformadas colocassem todas aquelas dificuldades. Eu não podia nem curtir aquele que era um grande momento. Na delegacia, tive o apoio de amigos que, indignados, tomaram a causa para divulgar na imprensa.

Apareceram então as televisões, as rádios e os jornais. A notícia se espalhou. A situação inusitada ganhou a simpatia da opinião pública porque ia contra os direitos, a liberdade e desrespeitava não somente as pessoas com deficiência. Era uma questão de cidadania e um grave desrespeito à Constituição do país. Todos se uniram pela causa.

Após três dias tentando resolver o impasse, sem nenhum sinal de avanço nas negociações, só restava recorrer às vias judiciais. Resolvi contratar um advogado, pois mesmo podendo atuar profissionalmente e assumir minha própria causa, não estava em condições emocionais naquele momento. Mais do que um profissional competente, eu precisava também de um advogado com sensibilidade para enfrentar uma ação que parecia estar ingressando na esfera do capricho e da vaidade pessoal dos representantes daquela instituição.

A ação teria corrido tranquilamente se não houvesse um problema formal sobre a instrumentalidade do processo, que consiste em todas as medidas e providências que se adotam juridicamente para formar um processo com a finalidade de promover o acesso à Justiça. Cabe aqui uma explicação: são necessários alguns trâmites legais, determinadas maneiras de conduzir um processo. Se os procedimentos apresentarem algum problema, eles podem colocar em risco a validade de documentos, depoimentos, de recolhimento de provas. Algo assim como num laboratório em que tudo tem de ser manuseado com cuidado para que nada se contamine. Um erro burocrático é, às vezes, a contaminação de um processo.

No caso do Metrô, meu advogado na época, o dr. Marcial Casabona, entrou com um pedido de liminar. A juíza, que primava pelo rigor técnico e pela ultrafidelidade ao texto da lei, deu um parecer contrário porque julgava não ser o caso de uma liminar. Com base em análises altamente técnicas, ela entendeu que o que deveria ter sido solicitado era uma tutela antecipada. E barrou nosso pedido.

Tivemos de entrar com um novo pedido, uma nova ação. Como dependeríamos de um novo julgamento, corríamos o risco de outro juiz pensar diferente da primeira juíza e, por ironia, preferir a entrada de uma liminar. Se estava complicado para nós, que éramos profissionais, entender as dificuldades técnicas da Justiça, imagine para um leigo.

Da segunda vez, entretanto, contamos com um juiz que deu sua decisão prontamente: disse que, num caso como aquele, cabia qualquer procedimento para garantir a justiça, fosse liminar, tutela antecipada, medida cautelar e até *habeas corpus*, porque o que estava em jogo e sendo discutido era o direito de ir e vir de uma pessoa que, no caso em questão, estava sendo impedido.

Agora que eu tinha em mãos a liminar, a primeira coisa que fiz foi passar para o Departamento Jurídico do Metrô, por fax, a decisão que garantia o livre acesso do Boris a todas as dependências da instituição. Em seguida, com cópias da liminar em mãos, fui para aquela que havia se transformado em um campo de batalha: a estação Marechal Deodoro. Dessa vez não havia como alguma coisa dar errado. Dei os comandos para o Boris, que já não parecia tão confiante, tantas vezes aquela ação tinha sido frustrada. Para ele, aquilo havia se transformado em uma brincadeira sem graça e sem sentido.

Ao depositar o bilhete na catraca, ouvi: "O cachorro não pode entrar". Não, leitor, você não está lendo a página anterior. Até eu, que protagonizava a situação, custei a acreditar. A cena se repetia. Parecia um pesadelo. O que era aquilo? Um império à parte, que tem suas próprias leis, um pedaço independente do resto do país?

Respirei fundo, contei até dez e disse com toda a calma: "O senhor não está entendendo. Isto é uma decisão judicial. Não cabe ao Metrô decidir se vai cumprir ou não". O agente só respondia: "Eu sinto muito, eu cumpro ordens". Não adiantava dizer que não cumprir uma decisão dada por um juiz era crime. Na maior cara de pau, ainda veio um advogado do Metrô informar que não haviam sido comunicados judicialmente da decisão; então, não eram obrigados a cumpri-la. Não parecia o comportamento de uma empresa séria, e sim a atitude de uma criança mimada que se sentia desafiada e não queria dar o braço a torcer.

Infelizmente, as instituições que prestam serviços públicos no Brasil costumam confundir a obrigação que têm de realizar um bom trabalho com abuso de poder. Em vez de atender às necessidades da população, excedem-se em seu papel e transformam-se em arrogantes e autoritários cumpridores de regras sem atentar para o bom-senso. No caso do Metrô, um monopólio que não tem concorrência, parece que seus representantes estavam pouco se importando como ficaria a imagem da companhia. Alguém deixaria de usar o metrô por conta de uma barbaridade dessas?

O que mais me revoltou foi a falta de respeito com que me trataram. O advogado do Metrô chegou a me falar, com um cinismo abominável, que a pena para aquele tipo de crime era tão pequenininha... Ele me desafiava com ironias: "Você viu como sua vida se resolveu a partir daquele boletim de ocorrência, não é mesmo, doutora?". A história toda acabou se resumindo a uma questão de atitude. Eu até entendia que eles ainda não estivessem preparados naquele primeiro dia para a novidade, que faltasse informação da lei do cão-guia. Mas depois o que faltou mesmo foi humanidade, inteligência, competência, sensibilidade, respeito, tudo.

Por causa dessa história, Moisés, que já deveria ter voltado para Florianópolis, ainda estava em São Paulo para me dar apoio. Até minha volta ao trabalho estava sendo adiada dia após dia. Estava tudo errado. Das muitas frases que me lembro de ter ouvido nesses confrontos, havia coisas do tipo: "Nós não a estamos impedindo de entrar. Só o cachorro". O que eles estavam sugerindo? Que eu mandasse o Boris a pé me esperar lá na outra estação, que o mandasse de táxi, de ônibus?

Meu advogado foi novamente ao juiz para registrar o descumprimento da lei. Dessa vez, o juiz determinou que o presidente do Metrô fosse pessoalmente intimado da decisão por um oficial de justiça, pois, quando tentei procurar a diretoria da instituição para conversar, fui impedida de entrar no prédio com o Boris, ou seja, mais uma irregularidade. Eu tinha a sensação de que havia me tornado a inimiga pública número um do Metrô.

Não foi fácil atravessar aquela semana. Até o Boris, que nunca tinha burlado o manual da boa conduta canina, ao me ver naquele estado se aventurou a subir em minha cama e lá ficou aconchegado a meu lado, lambendo meu rosto.

A batalha no metrô, parte II

A imprensa, que havia feito uma ampla cobertura do caso, estava na expectativa do que viria a acontecer. Após a entrega da intimação, será que ainda haveria mais algum problema? Essa era a minha dúvida e também a de dezenas de jornalistas. Tão logo souberam que o desfecho estava próximo, que eu faria valer meu direito de entrar e andar de metrô com meu cão-guia, decidiram me acompanhar e registrar tudo para os mais diversos veículos.

Naquele dia, além de meu advogado, um oficial de justiça estava lá para garantir que ninguém tentasse mais nada. Quando cheguei à estação, ouvia o barulhinho das máquinas fotográficas registrando tudo. Era muita gente, todos querendo um depoimento, uma entrevista, uma foto. Boris, que até então andava carrancudo e cabisbaixo, finalmente pôde exibir seu melhor sorriso, abanar o rabo à vontade, posar nos mais diferentes ângulos atendendo às solicitações da imprensa. Ele parecia ter entendido que seu papel no novo país iria muito além de ser um cão-guia, o que já não era pouco. Boris se tornava um verdadeiro embaixador da cidadania, da inclusão e da acessibilidade.

O apoio da família, dos amigos, da Justiça, da imprensa e de muitos desconhecidos que me abordavam prestando solidariedade foi decisivo para que eu tivesse forças para seguir em frente. Aquele era um momento muito gratificante, uma sensação de que tudo havia valido a pena. Apesar dos jornalistas, fotógrafos e usuários curiosos, o pessoal do Metrô ainda tentou determinar os caminhos por onde eu deveria seguir, mas aí não deu mais. Meu advogado aproveitou para passar o recado de que eles tinham ido muito além dos limites e que não deveriam mais me incomodar.

Não dá para descrever a hora em que escutei aquele som característico do metrô chegando à plataforma da estação. Apesar de toda aquela agitação, o Boris, concentradíssimo em sua missão, não hesitou em encontrar a porta assim que o trem parou. Foi aplaudido como um craque que acaba de marcar o gol da vitória. Os aplausos, assobios e gritos da torcida só pararam quando a porta se fechou e o trem se afastou. Eram mais cinco estações e uma baldeação até o destino final – a estação São Bento.

Ao desembarcar, com uma semana de atraso, tive convicção de que havia um desafio enorme pela frente para fazer cumprir os direitos das pessoas, com deficiência ou não – gente que simplesmente estava sendo excluída de direitos básicos pelo autoritarismo de instituições ou pessoas insensíveis. Se eu, que tinha formação, o apoio de meus colegas de trabalho e o contato com a imprensa para enfrentar aquilo, tive problemas, como seria para quem não dispusesse de tais meios?

Depois da vitória contra a arbitrariedade, passei a utilizar frequentemente o metrô. Quase sempre eu sentia a presença de um funcionário me seguindo e, algumas vezes, cheguei a ser abordada por algum deles que insistia em me conduzir e determinar o trajeto que Boris e eu deveríamos percorrer.

O Metrô designa assistentes para as pessoas com deficiência visual. Seria ótimo esse tipo de serviço se não fosse uma imposição – a pessoa não tem opção de exercer seu direito de recusar a ajuda ainda que esteja apta a transitar com autonomia. Eu, que havia buscado no cão-guia justamente a minha independência, não precisava e não queria alguém me pajeando o tempo todo. Quando a aproximação dos funcionários se tornava invasiva a ponto de atrapalhar meu desempenho com o Boris, eu parava tudo e esclarecia: "Por favor, vocês estão exagerando. Se vocês quiserem continuar nos seguindo, não tenho como impedir, até porque não posso ver vocês, mas não tentem me segurar nem interferir em meu trabalho com o Boris".

Existe uma visão assistencialista que ainda classifica como "bondade" ou "caridade" prestar um serviço de apoio ou suporte para pessoas com deficiência. Auxiliar é bom, sim, mas quando a pessoa deseja ou precisa. Quando se tenta impor essa assistência, então se torna um desrespeito.

A falta de bom-senso do Metrô ainda me faria passar por uma séria e perigosa experiência. Boris estava em fase de adaptação. Para inserir algum novo caminho em seu repertório, eu aproveitava as viagens de Moisés a São Paulo e pedia uma assessoria. Eu adorava passear na avenida Paulista para algo prosaico, como tomar um cafezinho no Conjunto Nacional. Um dia, quando treinávamos esse percurso, ao ingressarmos na estação Consolação, qual não foi minha surpresa quando, ao me dirigir à escada rolante, alguém, com aquela velha e conhecida voz da autoridade, veio me impedir de entrar. Estava de volta a tortura psicológica. Apelei para a liminar que carregava comigo, quando ouvi a seguinte grosseria: "Eu já sei dessa tal da liminar, mas na escada rolante não pode". Boris, que já havia quase apagado aquela má impressão inicial, vendo que eu parava, sentou e com um bocejo parecia dizer: "Ai não, vai começar tudo de novo...". Então retruquei: "Acho que o senhor não sabe não, porque ela determina que eu tenho acesso irrestrito a todas as dependências do metrô. Eu vou pegar a escada rolante porque é este o trajeto que eu costumo fazer". Ele continuava insistindo: "Não vai não, porque o cachorro pode prender a pata". Aí foi demais: "Até a semana passada vocês nem sabiam que existia cão-guia. E agora já estão querendo me ensinar o que um cão treinado como este pode ou não fazer?". No limite de minha irritação, eu disse: "Chega de discussão. Tenho a liminar e nada vai me deter". Pedi ao Boris que encontrasse a escada rolante e deixei o funcionário resmungando sozinho. Quando eu começava a descer com o Boris, senti de repente um tranco que me desequilibrou e quase me fez cair. A escada havia parado de funcionar. Perplexo, Boris deu um profundo suspiro. Cheguei ainda a pensar: "Que azar, esta droga tinha de quebrar logo agora?". Só depois entendi o que realmente tinha acontecido: Moisés, que nos aguardava ao pé da escada, gritou me avisando que haviam desligado o mecanismo. Não pude acreditar. Era uma total e completa demonstração de falta de respeito e, principalmente, de conhecimento de segurança. Eles me expuseram a um perigo que eu, assustada, nem tinha condições de avaliar. Era um absurdo, uma violência inimaginável. Ao alcançar a plataforma, descendo com cuidado os degraus da escada desligada, fui cercada por passageiros e até por outros funcionários que, indignados, haviam presenciado aquela agressão descabida e prestaram sua solidariedade, inclusive se oferecendo como testemunhas daquela barbaridade. Por outro lado, algum responsável pela segurança veio com um regulamento, criado da noite para o dia, com todas as regras que deveriam reger a circulação dos cães-guia no metrô.

Algumas pérolas do manual:

Eu não poderia usar a escada rolante;
Só poderia circular no primeiro vagão do comboio, em horários permitidos;
Eu não poderia circular na hora do *rush*.

Ou seja, eu teria de consultar o Metrô para montar minha agenda de compromissos. Novamente fui fazer mais um boletim de ocorrência. Nesse mesmo dia em que fui, em pleno sábado à noite, parar mais uma vez na delegacia de polícia por causa de mais um impedimento, uma rádio me colocou, ao vivo, em debate com o presidente do Metrô.

Acredite quem quiser, ele se dizia preocupado com minha integridade física e também com a do meu cachorro. "Que preocupação é essa em que um funcionário desliga a escada rolante enquanto eu ainda estou andando nela?", eu argumentava. As justificativas não convenciam ninguém. Dizia-se que um cão da Polícia Militar havia sofrido um acidente ao prender a pata na escada rolante. "E quando se trata de crianças que correm o risco de prender os sapatos e até os pés? Sabemos que isso já aconteceu. Também elas seriam proibidas de andar nas escadas rolantes?", questionei. O que impressiona nesse episódio do Metrô é que eles nunca tiveram a decência de reconhecer seus erros. Em nenhum momento tiveram uma postura digna de, na pessoa do presidente, pedir desculpas.

Daquela época não ficaram só lembranças ruins do Metrô. Alguns funcionários, discretamente, mas sempre que podiam, diziam que estavam torcendo por mim e me davam todo o apoio. Boris, que havia muito tinha ultrapassado seus quinze minutos de fama, sentia-se o próprio *superstar* de tanto aparecer nos noticiários e programas de rádio e TV. Seu *slogan*, criado por um dos jornalistas, passou a ser: "Boris, de Michigan para o mundo".

Na mesma ocasião, no Ministério Público em que eu trabalhava, havia uma grande movimentação em torno do caso do ex-prefeito de São Paulo Celso Pitta, o famoso escândalo dos precatórios. Certa tarde, havia uma concentração de repórteres que estavam acompanhando a entrevista coletiva de um dos envolvidos no caso. Quando o Boris avistou toda aquela agitação, flashes, câmeras, luzes, em vez de me levar para o elevador, posicionou-se bem na frente dos cinegrafistas. Roubou a cena.

Novo olhar para o mar

Sim, desde pequena um de meus maiores sonhos era poder passear sozinha à beira do mar. E, a partir do momento em que recebi o Boris, passei a contar os dias para realizar esse desejo. A oportunidade chegou no Carnaval de 2001, quando viajei com a família para Peruíbe, no litoral sul paulista, onde havia passado todas as férias até a adolescência.

Pela manhã, mal chegamos e fomos com todos à praia. Comecei a planejar como eu iria executar essa operação. Aproveitei para explorar o território e montar estratégias. Contabilizei o número de quadras, as direções, as referências, as ruas e avenidas que teria de atravessar para chegarmos até a praia. Nas primeiras vezes eu ainda teria de passar as orientações para o Boris: direita, esquerda e outras referências para que ele memorizasse. Boris tinha grande capacidade para guardar endereços e lembrar de lugares. Era capaz de repetir trajetos complexos depois de percorrê-los apenas duas ou três vezes.

No mesmo dia à tarde, decidi colocar o plano em ação. Chegar até a praia foi muito tranquilo. Só precisava descobrir, antes de descer para a areia, como o Boris e eu, depois de andarmos pela praia – um lugar amplo e sem referências –, conseguiríamos retornar para nosso ponto de partida, a mesma rua por onde chegamos. A ideia era construir por nós mesmos a informação, sem recorrer a outras pessoas, até porque poderíamos não encontrar ninguém. Era como se nos propuséssemos um pequeno jogo que só dizia respeito a nós dois.

A chave que nos auxiliou foram os quiosques de praia que estão por toda orla. Escolhi a barraca que ficava na quadra para a qual deveríamos retornar. Diante da barraca fiz a maior festa com o Boris, repetindo sempre: "Muito bem, muito bem, esta é a barraca, a barraca e tal", sempre repetindo que aquela era a barraca para que ele pudesse associar nossa "festinha" com aquele ponto de referência. Fizemos isso uma única vez. Portanto, era bem arriscado não conseguir voltar. Mesmo assim, não desanimei. Fomos em frente. "Vamos, vamos, Boris." Senti uma breve hesitação por parte dele, que parecia indagar: "O que é essa coisa que não para de se mexer?". É importante lembrar que Boris viera do interior dos Estados Unidos e nunca tinha visto o mar. "Vamos, Boris, é água." Ao ouvir a palavra mágica dos labradores – água! –, ele se apressou em encontrar a passagem da calçada para a areia e lá fomos os dois para a beira do mar.

A praia de Peruíbe é bem longa, e caminhamos por mais de meia hora. Antes de tomar o caminho de volta, nós dois ainda tomamos banho de mar. Ele adorou. Na hora de voltar, pedi ao Boris que encontrasse o quiosque, nosso ponto de partida. Andamos, andamos, e eu já estava me prevenindo, talvez tivesse de intervir se as coisas não caminhassem bem. Procuraria alguém, telefonaria para casa, já pensava nas alternativas. De repente, o Boris começa a caminhar mais rápido até sair da faixa de areia próxima ao mar. Deixei-o à vontade, até que percebi que ele estava subindo o morrinho de acesso à calçada e caminhando decidido, puxando a guia. Seguiu nesse ritmo até estancar diante do quiosque, do nosso quiosque. Fiquei encantada e, claro, fizemos a maior festa. Missão cumprida, mais um desejo realizado.

Lembro-me de outra passagem, ainda nos seus primeiros meses no Brasil. Ao chegar em casa após mais um dia de trabalho, tudo o que eu queria era trocar de roupa e correr para minha aula de musculação na academia. Liberei o Boris dos equipamentos e ele disparou na frente direto para o pote de água. Depois, como sempre fazia, seguiu em busca dos cumprimentos de quem estivesse por perto. Mas nessa noite não ouvi a barulhada de patas, rabo e correntes batendo nos móveis de quando ele saía escorregando pelo piso encerado feito um *skatista*. Isso não era um bom sinal. Havia alguma coisa estranha no ar. Boris havia percebido antes de mim.

A família estava reunida na sala. Estavam todos quietos, o que também não era comum. Então minha mãe quebrou o silêncio e contou o que todos já imaginavam. Havia saído o resultado da biópsia que meu pai havia feito na semana anterior. O tumor que ele tinha na garganta era maligno. Ele precisaria se submeter a uma cirurgia. O caso era grave e tudo foi decidido muito rapidamente. No dia da operação, meu irmão e eu acompanhamos meu pai até o hospital e ficamos lá aguardando notícias, enquanto minha mãe e minha irmã cuidavam do restaurante que meus pais tinham na época, que não podia parar. Deixei o Boris em casa, pois não sabia como ele seria recebido naquele lugar. Era o momento de dirigir minhas forças para algo muito importante, não pretendia me desgastar com discussões.

A cirurgia demorou bem mais do que o previsto. Foram sete horas de espera. Só quem já passou pela aflição de ficar aguardando notícias de um centro cirúrgico pode entender a angústia que sentíamos, meu irmão e eu, na espera das informações, que vinham a cada duas horas. Imagine, então, como foi para minha mãe e minha irmã, que não podiam estar ali presentes. Quando a cirurgia terminou e meu pai voltou para o quarto, foi muito bom reunir toda a família. Estávamos aliviados, felizes e gratos por tudo ter corrido bem.

No período da recuperação, eu visitava meu pai todas as noites. Como ia direto do trabalho para o hospital, o Boris me acompanhava nessas visitas. Na primeira vez que fiz isso, minha irmã foi nos encontrar na estação São Joaquim do metrô. Antes, eu telefonei para os advogados do hospital e acertamos que o Boris teria acesso às áreas sociais, como recepção, sala de espera, café e restaurante. Uma pessoa foi designada para ficar com ele enquanto eu subia para o quarto.

Se eu fosse exigir o cumprimento da lei, o Boris poderia entrar no quarto, pois os únicos espaços restritos, por motivos óbvios, seriam o CTI, os centros cirúrgicos e a cozinha hospitalar. Naquele momento, no entanto, eu estava muito fragilizada.

No segundo dia de visita, resolvi ir por conta própria com o Boris ao hospital. Fiquei encantada como ele rapidamente encontrou as escadas corretas para sair da estação do metrô. Comecei a dar as orientações. Ao chegarmos à primeira esquina, pedi a ele que atravessasse a rua. Ele me puxava e insistia em seguir por outro caminho. Ficamos ali discutindo para determinar quem tinha razão, até que um policial que observava a cena de longe se aproximou oferecendo ajuda. Quando contei que estava indo para o Hospital do Câncer, ele acabou com o impasse: "Desculpe, moça, mas o cachorro é que está indo para o lugar certo". Chegando ao hospital, Boris me surpreendeu mais uma vez. Além de encontrar a entrada correta, atravessou o saguão, me levando direto ao balcão de identificação dos visitantes para pegar o crachá.

66 *Thays Martinez*

Em outra visita, eu estava me aproximando da porta de entrada do hospital quando uma senhora saiu correndo atrás de mim gritando: "Para, Para!". Estanquei na mesma hora imaginando algum impedimento sério como uma ambulância prestes a sair. A mulher chegou esbaforida: "Ainda bem que eu cheguei a tempo. Seu cachorro estava entrando no hospital!". Ela acreditava estar prestando um grande favor e ficou muito desapontada quando respondi: "Ele está certo, é para lá mesmo que eu vou!".

Como meu pai ficou internado por um longo período, a presença do Boris no hospital já havia se tornado familiar para todos os funcionários. Os acompanhantes de outros pacientes internados, entretanto, eram os maiores interessados. Frequentemente abordavam meus irmãos para saber a que horas o Boris viria para a visita. A presença dele contribuía de forma muito positiva para desestressar a tensão típica de ambiente hospitalar. Pessoas que estavam passando por momentos difíceis se alegravam com aquela presença. Muitos faziam questão de descer para cumprimentá-lo e ficar brincando com ele. Era quase uma pet terapia, sistema ainda pouco utilizado no Brasil, mas que traz grandes benefícios. No contato entre animais, pacientes e familiares, há um ganho de energia emocional muito benéfico para a saúde, o que contribui para acelerar a recuperação. Ao final de três semanas, quando meu pai teve alta, a equipe do hospital veio nos agradecer e dizer que a presença do Boris tinha sido muito importante para todos.

Uma casa para Boris

Em 2001, quando estava prestes a completar três anos de Ministério Público, resolvi me desligar e partir para novos desafios. Eu estava fazia quase um ano com o Boris, e isso não era um fato irrelevante. Com toda a liberdade, independência e segurança que ele me trouxe, eu tinha coragem de ir além e experimentar novas atuações, descobrir novos horizontes.

Estávamos orgulhosos de nosso último feito, a aprovação de uma lei estadual que garantia livre acesso para os cães-guia a locais públicos e privados de uso coletivo, além dos meios de transporte, é claro. Lembro-me de que juntamente com os promotores fomos procurar o então presidente da Assembleia Legislativa, deputado Walter Feldman, e apresentamos uma proposta de texto para a referida lei. Em poucos meses ela foi aprovada por unanimidade. No evento que organizamos para comemorar e divulgar essa aprovação esteve presente o então senador Romeu Tuma, que se comprometeu a levar a mesma proposta para a esfera federal, o que resultou na aprovação da lei em 2005 que ampliou a liberdade de acesso dos cães-guia para todo o território nacional.

Parece que essa nova mulher que despontava dentro de mim pedia atividades mais dinâmicas. Mas, ao mesmo tempo, havia algo que fazia parte de minha essência que continuava apaixonada pelas questões sociais e pela possibilidade de contribuir para transformá-las. A solução que encontrei parecia perfeita: atuar no terceiro setor. Depois de muitas conversas com Moisés, que já estava havia algum tempo comprometido com o projeto de treinamento de cães-guia, decidi começar a trabalhar com ele. Eu representava em São Paulo a Escola de Cães-Guia Helen Keller, que ficava em Florianópolis.

No início, pedi uma licença-prêmio. Entusiasmada com a dinâmica e meus resultados durante aquele breve período, porém, pedi exoneração e formalizei meu desligamento definitivo do Ministério Público. Todos me chamavam de louca, inclusive meus pais. Os promotores se recusaram a assinar meu pedido por não concordarem com minha saída nessas condições.

Eu não me importava. Com 27 anos, estava orgulhosa de meu feito e adorava meu novo ritmo de trabalho. Boris também aprovou a mudança e se adaptou com facilidade. A partir daquele momento, fazer e desfazer malas era parte de nossa rotina. Vivíamos em constante ponte aérea entre São Paulo, Florianópolis e Brasília. Participávamos de inúmeras reuniões para negociar contratos, patrocínios e parcerias com grandes empresas e importantes instituições. Pouco tempo depois eu ainda fundaria, ao lado do Zé, do Moisés e de mais alguns amigos, o Instituto Iris, com o objetivo de facilitar o acesso das pessoas aos cães-guia. Tínhamos muito trabalho e quase nenhum recurso.

Não demoraria muito para eu descobrir os grandes problemas do terceiro setor no Brasil, como a falta de sustentabilidade financeira e as relações nada profissionais. Passado algum tempo, precisei buscar recolocação profissional. Recebi então um convite para trabalhar como advogada na prefeitura de São Paulo, na Comissão Permanente de Acessibilidade. Em resumo, tinha a função de fiscalizar e fazer cumprir as leis para que estabelecimentos, meios de transporte, meios de comunicação, escolas, entre outros órgãos de serviços, estivessem adaptados às necessidades das pessoas com deficiência. O salário era bem baixo, mas aceitei a proposta, pois, além de estar sem nada, o trabalho parecia ser interessante.

Tão logo comecei a trabalhar na prefeitura, em março de 2003, dei início à execução de outro importante e antigo projeto pessoal: morar sozinha; ou melhor, com o Boris. A condição financeira não era das melhores, mas concluí que com um bom planejamento seria possível. Eu estava prestes a completar trinta anos e não parecia fazer sentido continuar debaixo das asas de meus pais. Sentíamos necessidade de mais independência. Eu buscava um espaço só meu, para decorar do meu jeito, estabelecer minhas regras, construir um ambiente. Boris, que também dividia a casa de meus pais com o Guga, um poodle da família, queria seu canto, ter seus ossos e brinquedos espalhados pela casa sem furtos do pivete, não precisar dividir a mesma vasilha de água e poder ter sua cama arrumada de seu jeito, sem invasões.

O primeiro passo seria encontrar um apartamento para alugar. Lá fomos Boris e eu em busca de nosso canto. Fizemos praticamente tudo sozinhos. Eu conseguia a indicação de um prédio com alguém, pedia as coordenadas para chegar até lá e seguíamos, nós dois, rumo a nosso novo objetivo. Visitamos vários apartamentos até encontrar um que atendesse a nossas expectativas. Por várias vezes, eu adorava um apartamento, mas o Boris não curtia. Ele entrava e ficava cabisbaixo, parecia não gostar da energia do local. Então, lá íamos nós em busca de mais uma alternativa. Finalmente encontramos. Era um apartamento amplo, antigo, de um dormitório. Assim que entrou, o Boris corria de um lado para outro, abanava o rabo e mordia meu punho como dizendo: "Olha! Vem ver que legal!". Vimos outras opções no mesmo prédio, mas escolhemos aquele mesmo. Foi paixão à primeira vista. E à primeira mordida!

A questão prática também estava contemplada: ficava na rua Frei Caneca, nas imediações da avenida Paulista e do metrô. Teríamos tudo perto, desde supermercado, padaria, farmácia, shopping até uma feira na rua em frente que funcionava todas as quintas-feiras. Boris e eu adorávamos feiras. Eu, para comer pastel; ele, para a versão canina de ver vitrines, sentir variados e agradáveis cheiros. Sempre à distância, claro.

Antes de fechar a locação, pedi a duas amigas que fossem avaliar visualmente o estado de conservação do apartamento. Confirmado o bom estado, fechamos o contrato. Durante o período de procura do imóvel, já havia comprado alguns itens pequenos que encontrava em promoção. Mas foi a partir das chaves em mãos que corri para comprar móveis e eletrodomésticos com o dinheiro que vinha economizando para esse fim.

Essa economia custou algumas restrições para mim e para o Boris. Nós, que desde sua chegada ao Brasil vivíamos em baladas, de segunda a segunda, tivemos de nos privar da via-sacra pelos bares da Vila Madalena. Tínhamos até cortesia de cliente VIP em um dos bares do bairro, com direito a um tapete reservado para que o Boris não ficasse no piso frio nas noites de inverno.

Em outro, havia uma vasilha de água, cuidadosamente guardada e abastecida pelos garçons, que disputavam a honra de atender o freguês especial, que não gastava nada, não dava gorjetas, mas espalhava simpatia e sorrisos, atraindo frequentadores para o lugar. Ficávamos até altas horas da madrugada ou nas tardes de domingo jogando conversa fora, paquerando e nos divertindo. Eu, que detesto cerveja, adorava as caipirinhas, principalmente de manga com abacaxi, que alguns já chamavam de caipirinha do Boris. Ele amava comer gelo, tirar a tampinha das garrafas vazias de água e ser paparicado por todos. Com todo aquele tamanho, acabava algumas vezes no colo de alguém.

Lembro-me de uma tarde de domingo em que estávamos com vários amigos em um bar muito lotado. A solução para acomodar toda a freguesia foi improvisar algumas mesas colocadas literalmente na rua. Boris, que comportadamente descansava embaixo da mesa, ao avistar uma simpática vira-lata levantou-se de um salto, batendo a cabeça no tampo solto da mesa improvisada. Copos, latas, garrafas e petiscos voaram para todos os lados. Bons momentos que precisariam ser deixados um pouco de lado. Afinal, estávamos realmente decididos a concretizar o sonho de ter nossa casa.

Mudamos em uma manhã de junho. Havia mandado entregar tudo no próprio apartamento. Minhas coisas pessoais levei de táxi. Foi um momento mágico; cada roupa que eu pendurava no cabide e colocava dentro do guarda-roupa me trazia uma sensação de realização, de estar tomando posse de meu novo ambiente e de mim mesma.

Desemprego público, emprego privado

Passado o entusiasmo inicial, demos início a nossa nova vida, com as vantagens e as desvantagens desse processo. Se faltavam o carinho da família e as vantagens de uma casa bem administrada, por outro lado era ótimo não ter ninguém para tirar minhas coisas do lugar.

Mas, além da mudança de casa, minha vida entrou numa fase de grandes novidades. Fui demitida da prefeitura, depois de intervir em defesa de uma colega que havia sido desrespeitada por meu chefe. Porém, no mesmo dia em que meu desligamento foi comunicado – por um frio telegrama –, recebi uma proposta oficial do Banco Real para uma nova posição.

O mais incrível era saber que receberia um salário algumas vezes maior que o anterior, além de uma série de benefícios. E ainda mais extraordinário foi descobrir a localização do escritório, em plena avenida Paulista, a poucas quadras de casa.

O contato com o banco começou semanas antes e de uma forma muito casual. Eu havia procurado a diretoria da instituição em busca de um patrocínio para o projeto dos cães-guia. Conversando com funcionários da área de responsabilidade social, comentaram que a empresa estava contratando pessoas com deficiência. Com interesse social e institucional, quis saber mais a respeito dessas contratações.

Fiz tantas perguntas que o funcionário questionou se eu tinha interesse em trabalhar no banco. Na verdade, nem sequer havia pensado nessa hipótese até aquele momento. Mas não hesitei em responder: "Se a vaga for interessante, pode ser".

Aceitei o desafio. Sempre quis me pôr à prova participando de um processo seletivo na iniciativa privada. Aos 29 anos, já conhecia o setor público, tanto por concurso quanto por indicação em cargo comissionado, e também o terceiro setor, com o qual continuava envolvida. Queria experimentar a iniciativa privada, sua dinâmica, seus desafios, seus pontos positivos e negativos. Parti para as entrevistas com duas pessoas: uma da área de recursos humanos e outra da área em que eu iria trabalhar.

A primeira proposta foi que eu atuasse no suporte às agências, mas o trabalho deveria ser executado por telefone. Esta é uma associação fatal: pessoas com deficiência visual são sempre encaminhadas para trabalhar com telefone. Recusei. Expliquei que realmente queria aceitar o desafio, mas gostaria de trabalhar com algo mais dinâmico e desafiador. Achava que ocupar aquela vaga não seria interessante nem para mim nem para a empresa. De qualquer forma, fiquei satisfeita por ter recebido um convite e pela experiência.

Passados alguns dias, para minha surpresa, recebo um telefonema da secretária executiva do diretor da área para a qual eu havia sido recrutada. Ele tinha acompanhado o processo de seleção, visto meu currículo e queria me fazer uma nova proposta. Eu me senti muito bem por ter minhas convicções respeitadas. Fui então para uma nova entrevista com Felix Cardamone, diretor executivo da área de segmentação de clientes, um dos principais setores do banco. Conversamos bastante e de imediato se estabeleceu uma relação mútua de respeito e admiração. Assumi e fui trabalhar no setor de Inteligência de Mercado.

O primeiro dia no novo trabalho foi especial. Acordei com muita disposição para a nova trilha que Boris e eu percorreríamos juntos. Sentia-me realizada e fazia tudo com muito entusiasmo, da escolha da roupa ao trajeto que faria para chegar ao banco. Liguei o rádio para ouvir notícias e música e servi o desjejum do Boris enquanto esperava a água ferver para fazer um café. Esse é outro grande mistério para a maioria das pessoas: como alguém que não enxerga pode cozinhar, mexer com fogo. Não há técnicas mirabolantes, simplesmente utilizo o olfato, a audição, o tato e o próprio paladar como referência. O tempo e o peso das coisas também ajudam muito. Se a água ferve, por exemplo, posso ouvir o som característico da fervura, que é diferente do barulho da pré-fervura; aliás, momento ideal para utilizar a água para o preparo de chás ou café. No caso de preparar um prato, claro que não posso ver se a cebola está douradinha na manteiga, mas consigo perfeitamente sentir o cheiro e perceber a mudança de textura com a colher ou a espátula que esteja usando. Passar ingredientes de um recipiente para outro, então, parece uma missão impossível, mas não é. Basta tocar a borda de uma jarra na beira do copo e virar e sentir o peso do copo para saber quando está cheio.

Terminado o café da manhã, escolhi a roupa que iria vestir, fiz uma leve maquiagem, separei um saquinho com a porção de ração do Boris para a tarde e partimos. Subimos a rua Frei Caneca até a avenida Paulista, por onde seguimos até o banco. Em frente ao Masp, uma bela música clássica fazia um interessante contraste com a pressa de São Paulo, os sons dos carros acelerando nos semáforos, os passos rápidos, os helicópteros que se aproximavam para pousar nos diversos heliportos da grande avenida. Todos acompanhavam o ritmo acelerado do coração financeiro do país.

Ao chegar ao banco, de imediato percebi a primeira grande diferença do clima de indefinições do setor público. Já haviam instalado uma mesa, ou melhor, uma baia, com um computador devidamente adaptado para mim. Logo o Boris e eu já estávamos sendo apresentados a todos os funcionários da área. Nesse mesmo dia fui encaminhada ao departamento de segurança do banco para providenciarmos a foto que seria colocada em meu crachá magnético. Lá também todos estavam encantados com o Boris, que queria de todo jeito tirar uma foto também. Não tivemos dúvida: fizemos um crachá funcional para ele, com foto e tudo.

Meus conhecimentos legais eram muito valorizados na área, especialmente na hora de fazer as negociações com o Jurídico do banco, buscando um equilíbrio nas peças publicitárias entre o atendimento às exigências do Código de Defesa do Consumidor e a eficácia do texto do ponto de vista do marketing. Boris também desfrutava uma liberdade muito grande. Era como uma segunda casa. Ficava solto e circulava por todos os departamentos. Meus colegas guardavam biscoitos e ossinhos na gaveta, e havia um verdadeiro sistema de rodízio para evitar excesso de calorias. Havia também aquelas bolinhas de borracha que são distribuídas nas empresas para os funcionários ficarem apertando e com isso diminuir o estresse do trabalho. Elas serviram para isso até o Boris chegar, pois a partir daí elas viraram as bolinhas do Boris. Era uma disputa até entre os diretores para ficar jogando bolinha com ele no corredor.

O Boris era considerado um membro exemplar, pois não perdia uma reunião sequer de diretoria. Eu bem que tentava obter informações privilegiadas das decisões tomadas nessas reuniões, mas ele se mantinha discreto, fazendo jus à confiança que havia conquistado. Ficava dormindo debaixo da mesa sempre que encontrava uma porta aberta.

Às vezes os horários de algumas reuniões avançavam na hora da voltinha que o Boris estava acostumado a dar. Ele era bem-educado e sabia esperar, mas o pessoal aproveitava isso como desculpa para dar um passeio com ele. Diziam que ele dava sorte e era muito bom para facilitar as paqueras. Eu brincava que tinha de distribuir senhas, senão dava briga.

Quando chegou o dia 16 de outubro, o Boris, assim como nos aniversários dos funcionários, ganhou um bolo. Encomendaram numa padaria que só fazia comidas especiais para cachorro um bolo de cenoura em formato de osso, sem açúcar, todo natural, que os cães podem comer sem problema. Até mandaram escrever "Feliz Aniversário, Boris". Tivemos então dois bolos, o normal e o do Boris. Ele comeu um pedaço. Depois muitos funcionários, que estavam morrendo de curiosidade, também experimentaram o bolo do Boris. E não é que acharam bem gostoso?

O cachorro não vai

Era uma manhã de abril de 2003. Boris e eu estávamos juntos havia três anos. Estávamos no ponto de ônibus, e eu já havia pedido que nos avisassem quando chegasse a linha que seguia para a Vila Mariana. Assim que a porta se abriu, o Boris, como sempre, já se posicionou para entrar no veículo. Estava prestes a subir quando fui surpreendida com gritos do motorista, que berrava de forma desnecessariamente grosseira e mal-educada: "Cachorro não pode entrar, cachorro não entra aqui!".

Passado o susto inicial, procurei informá-lo de que o Boris era um cão-guia e que as empresas de transporte público tinham a obrigação de aceitar a presença dele nos veículos. Até então, acreditava tratar-se de mais uma das inúmeras vezes em que teria de repetir o ritual de explicações a respeito da função do Boris e da legislação que garantia nossos direitos.

Enquanto isso, o Boris na calçada tentava entender por que eu estava ali parada se ele já tinha cumprido sua tarefa, encontrado a porta, e só faltava embarcar. Ao perceber que eu não recuava, o motorista foi ficando cada vez mais descontrolado e não parava de gritar: "O cachorro não, o cachorro não vai!".

Ele estava histérico, e eu nunca tinha visto um chilique como aquele. Tentava explicar que tomávamos aquele ônibus diariamente, mas tudo era em vão. Confiante nos meus direitos, decidi entrar. Eu já estava subindo no primeiro degrau quando o motorista teve uma reação das mais estúpidas e brutais que já vi. Ele simplesmente fechou a porta do ônibus. Deixou o Boris para fora e eu, segurando sua coleira, do lado de dentro. Fiquei desesperada, nem tanto pela porta que bateu violentamente em meu braço. Meu medo era que ele prosseguisse naquela loucura e resolvesse acelerar o veículo. Graças a Deus, os outros passageiros intercederam a nosso favor.

O motorista cedeu contrariado, mas ainda ficou resmungando. Boris pôde finalmente subir, e nós dois respiramos aliviados. Escolhemos um dos muitos bancos que nos foram oferecidos pelos passageiros, solidarizados pelos fatos que presenciaram. Sentamos e só então senti a dor no braço e me lembrei da agressão, da porta fechada bruscamente.

Desde os tempos de metrô, nunca mais eu havia vivenciado algo tão agressivo e desrespeitoso. Quando me acalmei e raciocinei como advogada, sabia que uma providência mais contundente seria necessária. Existem histórias que nos deixam tão indignados que a única solução é recorrer à Justiça. Mas, ao comprar uma briga, deve-se ter a cabeça fria e muito cuidado com detalhes. Qualquer descuido pode levar a perder uma causa justa.

Eu deveria então pegar o maior número possível de informações, como a identificação do veículo e o nome de algumas pessoas que se dispusessem a testemunhar. Duas moças se ofereceram para me ajudar e, além de verificar e passar para mim os dados da empresa e do condutor, deixaram seus números de telefone para que eu pudesse entrar em contato futuramente. Nesse dia, havia algumas questões urgentes para resolver e deixei o papel guardado para depois encaminhar ao advogado que na época cuidava do meu processo contra o Metrô.

Optamos pelo Juizado de Pequenas Causas, mas por conta de algumas emergências demoramos algum tempo. Quando finalmente ingressamos com a ação, descobrimos que só tínhamos disponíveis as informações relativas ao veículo e à empresa. Não consegui encontrar as anotações em braile com os contatos das testemunhas.

No dia marcado, a empresa e seus representantes legais compareceram para a audiência. Eles negavam os fatos, assegurando que não tinham registro do episódio citado. Que nenhum dos funcionários havia relatado nenhum problema desse tipo. Só faltava essa... Alguém acreditaria que o motorista fosse contar as coisas como elas realmente haviam acontecido e assumir a culpa de ter maltratado e colocado em risco uma pessoa?

Eles chegaram a formular uma hipótese de que eu estaria confundindo as empresas que fazem esse trajeto. Mas eu tinha certeza.

Pedi à juíza que perguntasse se existia outra linha que em seu retorno usasse o nome "Mercado de Pirituba". A resposta foi não. A juíza concluiu que eu estava falando a verdade. A sentença foi favorável a mim. Mas os advogados da companhia de ônibus recorreram, e o colégio recursal extinguiu o processo sem julgamento do mérito, alegando insuficiência de provas. Foi um final lamentável.

Imprevistos podem acontecer por falta de informação. O que não é admissível é o desrespeito. E, infelizmente, eu ouço com certa frequência o relato de pessoas com deficiência ou idosos que se queixam do comportamento agressivo por parte de alguns condutores de ônibus. Em compensação, a maioria dos motoristas que encontrei foi muito prestativa, pessoas boas que às vezes desconheciam a informação, mas tinham bom-senso e agiam de forma humana e solidária.

Até o governador compra nossa briga

Era abril de 2004. Boris e eu estávamos muito felizes com a nova dinâmica profissional e comemorávamos nosso quarto aniversário de... Bem, não era exatamente um casamento, mas já durava mais do que muitos deles. Também não era uma relação maternal, como muitos imaginavam, embora não possa negar que o Boris teve grande influência para que eu considerasse um filho em meus planos de vida. Na verdade, eram quatro anos de uma relação muito importante e peculiar. Havia resolvido passar com o Boris alguns dias na casa de minha mãe, onde há praças e ruas gostosas para passear, além de todas as coisas boas de casa de mãe. A desvantagem era ter de acordar mais cedo, pois, diferentemente de meu apartamento, que ficava a quinze minutos a pé do banco, da casa de minha mãe na Vila Leopoldina eram no mínimo 45 minutos até a Paulista entre ônibus e metrô.

Assim mesmo não desperdiçávamos a oportunidade de fazer uma revigorante caminhada pelas ruas arborizadas da região. Tivemos de sair voando em um desses dias, pois eu tinha uma importante reunião no banco e não poderia me atrasar. Saltamos do ônibus em frente à estação Vila Madalena do metrô. Felizmente, eu tinha um daqueles antigos cartões para dez viagens. Mostrei o passe a Boris, que já se encaminhou direto para as catracas. Ele havia aprendido que, quando mostrasse o bilhete, ele poderia ir direto para a linha de bloqueio; caso contrário, deveria seguir para a bilheteria.

Já tinham se passado quase quatro anos desde o início de nossa briga contra o Metrô. Tirando uma chateação aqui, outra ali por parte deles, que vez ou outra vinham com ideias mirabolantes querendo exigir documentos indevidos e específicos para transitar, a discussão estava restrita ao processo que continuava rolando no Judiciário.

Teria sido melhor não pensar nessa evolução, pois Boris e eu fomos surpreendidos, ao cruzar a catraca, por um funcionário. "Não pode entrar com o cachorro", ele disse. Imaginei se tratar de uma brincadeira de mau gosto e pedi para o Boris seguir em frente. Então uma indesejada mão toca meu ombro: "Você não pode entrar com o cachorro".

Perplexa, deduzi que só poderia se tratar de um funcionário novo, embora isso não fosse uma boa desculpa. Argumentei: "É um cão-guia, existe uma lei municipal e uma estadual que me autorizam a transitar livremente com ele, fora uma liminar específica para o Metrô. Converse com alguns de seus colegas e eles vão lhe informar". "Já conversei e me disseram que você só pode entrar com o cão se estiver acompanhada do treinador." "Para que eu preciso de um cão-guia se tenho um treinador 24 horas comigo? Sinceramente, vocês se superam a cada argumento!"

Coincidentemente, estava na estação um amigo de minha família que presenciou a conversa e logo se apresentou: "Eu sou o treinador do Boris". Ainda tentei resolver a questão porque não queria apenas entrar por interferência de alguém que deu um jeitinho na situação. Não tinha o menor cabimento. Porém, como eu já estava atrasadíssima para minha reunião, deixei rolar a fantasia do funcionário. Fingi que meu amigo era treinador, e o funcionário pareceu gostar da solução.

Terminada a reunião no banco, contei a passagem daquela manhã ao dr. Wagner e a Benjamim, um grande amigo jornalista. Quanto tempo mais essa história demoraria para acabar? Todos ficaram revoltados.

O *Jornal da Tarde* fez uma matéria de quase meia página sobre o episódio. Parecia até a continuação de uma série que não tem fim: "Metrô, o retorno". As rádios voltaram ao assunto, tudo se repetia. O fato chegou ao conhecimento do então governador do estado de São Paulo, Geraldo Alckmin, que fez uma declaração para a imprensa. Ele, pessoalmente, determinava ao Metrô que acabasse com as restrições e que facilitasse o acesso do Boris e de qualquer outro cão-guia às dependências do metrô.

Logo após a declaração do governador, ao entrar em uma das estações do metrô, ouvi a seguinte mensagem vinda dos alto-falantes: "Cães-guia são bem-vindos ao metrô e sua circulação é livre por todas as dependências". Soube também que foram afixados cartazes pelas estações com dizeres no mesmo sentido.

Uma das matérias sobre o ocorrido atribuiu ao Boris o título "o cachorro que mudou as regras do Metrô". Mas quem pensa que esse foi o fim de toda a história, engana-se. Mesmo com a intervenção do governador, a instituição mantinha o processo judicial – o pedido para que eu fosse impedida de transitar em suas dependências, ou melhor, como eles gostavam de dizer, eu não, o Boris.

A ironia maior dessa história foi saber que em janeiro de 2007, após o acidente na Linha Amarela no Metrô, que vitimou sete pessoas, duas fantásticas fêmeas de labrador, Dara e Anny, do Corpo de Bombeiros de São Paulo, foram peças fundamentais nos serviços de resgate.

Boiçucanga, onde o sol se põe no mar...
Boris e eu retornando à praia no fim da tarde em busca de sua bebida favorita: água de coco.

Eu adorava os cafés filosóficos com a Maria Augusta, já o Boris preferia água de coco e filmes com o Nelson.
Boris e eu na casa dos Blechers.

Boris aguardando que eu tirasse seu equipamento de trabalho para que ele pudesse ir dar um oi para os amigos – como fazia todos os dias.
Trabalhando no Banco Real.

Boris sempre era um sucesso nos eventos!
Nós no estande do Iris na Reatech. Kátia e Genival, casal do qual Boris e eu nos sentíamos um pouco cupido, e Alexandra.

Boris sempre achava o quarto certo nos hotéis. *Boris e eu no Meliá em Brasília.*

Moisés com o enérgico Chico (primeiro cão sociabilizado pelo Iris), eu com o Boris, Alexandra com Charlie (colega de trabalho do Boris).
Cãominhada na Vila Leopoldina.

Boris amava um flash.
Incrível como ele posava para fotos....

Um brinde à amizade. *Boris e eu no jardim do nosso prédio.*

Nossos hobbies: um bom livro de aventura e uma graminha fresca.

Após um dia bem cheio no trabalho, uma pausa na livraria para relaxar.
Boris e eu na Livraria Cultura do Conjunto Nacional.

Sem traumas...
Saindo da nossa estação favorita para um café na avenida Paulista.

Jurisprudência

PODER JUDICIÁRIO
TRIBUNAL DE JUSTIÇA DE SÃO PAULO

ACÓRDÃO

TRIBUNAL DE JUSTIÇA DE SÃO PAULO
ACÓRDÃO/DECISÃO MONOCRÁTICA
REGISTRADO(A) SOB Nº
00978650

Vistos, relatados e discutidos estes autos de APELAÇÃO CÍVEL COM REVISÃO n° 325.861-5/7-00, da Comarca de GARÇA, em que são apelantes e reciprocamente apelados METRO - COMPANHIA DO METROPOLITANO e THAYS MARTINEZ;

ACORDAM, em Sétima Câmara de Direito Público do Tribunal de Justiça do Estado de São Paulo, proferir a seguinte decisão: "AFASTARAM A PRELIMINAR, DERAM PROVIMENTO PARCIAL AO RECURSO DO METRÔ E AO REEXAME NECESSÁRIO E DERAM PROVIMENTO TOTAL AO RECURSO DA AUTORA, V.U.", de conformidade com o voto do Relator, que integra este acórdão.

O julgamento teve a participação dos Desembargadores WALTER SWENSSON (Presidente), GUERRIERI REZENDE.

São Paulo, 03 de abril de 2006.

MOACIR PERES
Relator Designado

Decisão do processo contra o Metrô.

Boris sempre de olho no movimento...
Curtindo nossa vitória definitiva no caso do Metrô.

Dor e alegria...
Boris, eu e Diesel em entrevista para falarmos sobre aposentadoria e sucessão.

Metrô: fim de papo

Faltavam poucos dias para o Boris e eu comemorarmos nosso sexto aniversário de parceria. Era uma segunda-feira e eu me sentia iluminada. Estava um pouco tensa, pois era a primeira vez que faria uma sustentação oral no Tribunal de Justiça, mas acima de tudo estava feliz e orgulhosa de ter chegado até ali.

Tomar o café naquela manhã ao lado do Boris, que já era um cão-guia sênior, tinha um gostinho de antecipação de vitória. Claro que não havia como saber de fato qual seria o resultado, mas nós acreditávamos naquela ação. Sabíamos que a cidadania no final acabaria vencendo, que nada tinha sido por acaso. Zé, meu namorado, já estava com a gente, e Wagner, o advogado que estava conduzindo a ação comigo, passaria em casa para irmos juntos ao julgamento.

Havíamos decidido que eu mesma faria a sustentação oral. Ao chegar ao Tribunal de Justiça, encontrei muitos jornalistas e isso me deixou feliz. Eu podia sentir a torcida deles e sabia que representavam ali a opinião pública. Era mais uma situação em minha vida que estava sendo compartilhada com um grande número de pessoas. Isso me dava mais força para seguir em frente.

Boris foi muito bem recebido pelos funcionários do Tribunal. Uma das funcionárias me acompanhou até a sala das togas, onde vesti uma. Enquanto eu colocava aquela peça por cima da roupa, o Boris parecia não entender nada. Ele estava um pouco agitado. "Será que ele sabe que estão decidindo sobre ele?", perguntou sorrindo e muito gentil a funcionária. (Ah, muita gente me pergunta como sei que alguém está sorrindo. Simples: é fácil identificar o tom de sorriso na voz das pessoas.)

Pronto, lá fomos nós para a sala de julgamento. Além dos jornalistas, estavam alguns representantes de instituições que haviam me apoiado todo o tempo. Zé e minha mãe também estavam presentes.

Ao começar a sessão de julgamento, meu coração estava disparado. Eu havia planejado o que iria falar e levei comigo algumas anotações em braile para ajudar. Chamaram-me para fazer a sustentação. Eu já havia procurado saber junto aos colegas sobre os procedimentos e me coloquei de pé para falar. Um dos desembargadores disse que eu podia permanecer sentada. Agradeci e disse que preferia ficar em pé. Ele ou outro dos desembargadores insistiu, mas eu também insisti para agir como os demais advogados.

Na verdade, os advogados nem precisariam levantar, mas era a praxe e eu queria ser como meus colegas de profissão. Eu tinha muito orgulho de ser advogada. Comecei então minha fala sobre a busca das pessoas com deficiência pela isonomia, sobre o direito de ir e vir, sobre a cidadania. Falei muito sobre nossa Constituição e sobre tratados internacionais. Falei sobre os prestadores de serviços públicos no Brasil atenderem às necessidades dos consumidores, inclusive aqueles com deficiência.

Havia duas questões sendo julgadas naquele momento: a possibilidade ou não de o Boris poder entrar no metrô e a necessidade de atender ou não a uma exigência inventada pelo próprio Metrô durante o processo, que era uma carteirinha que eu deveria portar para entrar nas estações. Expliquei que a legislação já definia os documentos a serem apresentados pelos usuários de cão-guia e que o Metrô não tinha por que ser diferente e querer um documento próprio.

O relator e o revisor votaram a favor de o Boris entrar no metrô, porém a favor do Metrô na questão de poder exigir a tal carteirinha. Fiquei um pouco triste. Como no Brasil era difícil entender que os direitos das pessoas com deficiência não eram concessões e, portanto, não poderiam ser limitados por exigências que dificultam seu exercício na prática. Não era apenas o carregar ou não um pedaço a mais de papel, era o exercício arbitrário do poder, a arrogância daqueles que não percebem que servem às pessoas.

Imaginem se cada estabelecimento resolvesse emitir um documento específico? Faltava apenas um juiz votar, o desembargador Moacir Peres. O problema é que, pelas leis processuais, ainda que ele votasse a nosso favor na questão da não exigência da carteirinha, ainda assim o Metrô ganharia por dois votos a um. Por essa decisão estar de acordo com a decisão do juiz de primeiro grau, não caberia mais recurso.

Meu coração estava apertado, e o silêncio era absoluto na sala de julgamento. Então, como a cidadania sempre encontra uma solução e uma voz para fazê-la prevalecer, o desembargador Moacir Peres pediu vista do processo, ou seja, o julgamento estava suspenso. Seria realizado novamente na sessão seguinte, depois de uma semana.

Claro que as chances não eram grandes, pois os outros dois desembargadores já haviam expressado seus posicionamentos, mas havia uma esperança. Soube que o desembargador Moacir Peres, convencido que estava da ilegalidade da exigência da carteirinha, foi pessoalmente conversar com os outros dois para debaterem a questão. Ele sabia que, embora se tratasse de uma ação individual, as consequências seriam bem mais abrangentes.

Aquela semana custou a passar. Na segunda-feira seguinte, lá estávamos nós novamente. Dessa vez não faríamos sustentação oral, apenas estávamos lá para receber a notícia em primeira mão.

Foi um dos momentos mais emocionantes de nossa história. Anunciaram o número do processo e os nomes das partes. O relator falou sobre a mudança de seu voto, destacando o aspecto da cidadania, e votou a nosso favor nas duas questões. O revisor proferiu seu voto no mesmo sentido e finalmente o desembargador Moacir Peres se manifestou, proferindo um brilhante e emocionante voto a nosso favor, a favor da igualdade, da cidadania.

"Ganhamos", falei baixinho e emocionada no ouvido do Boris. Ele levantou seu focinho e lambeu meu nariz. Estávamos exultantes.

Quantas árvores tombadas!

Depois de seis meses trabalhando no Banco Real, fui cursar um MBA. Queria apresentar meus projetos com mais autoridade, dominando mais argumentos e com a linguagem desse mercado. Iniciei o curso em 2004, depois de passar pelo processo seletivo. Pude contar com colegas, professores e funcionários da escola para obter os textos em formato acessível. Com todo esse incentivo, logo me identifiquei e aprendi a caminhar com segurança e desenvoltura nesse meio.

Na ESPM, onde fiz o curso, alunos e professores diziam que o Boris tinha um currículo invejável. Além do MBA em marketing de serviços que estava cursando, era bilíngue, com formação internacional em escola de primeira linha.

Mas isso é bastante natural na vida desses cães-guia que têm muita flexibilidade para se adaptar às mais diversas situações. Ele aprendeu todos os comandos em inglês – como *find stair* (procurar escada), *find door* (encontrar porta) –, mas depois treinei com ele em português a maioria das instruções. Mantive apenas as muito básicas, como *park time*, que não tem exatamente uma tradução, mas que ele sabia que era usada para a hora das necessidades, quando eu liberava um lugar apropriado para ele se aliviar.

Durante o tempo de nossa parceria acabaram surgindo situações bastante peculiares. Boris, para atender a minhas necessidades, desenvolveu, por conta própria, algumas técnicas para as quais não havia sido treinado. Tornou-se extremamente cuidadoso, chegando a proteger sacolas que eu estivesse carregando. Era, com certeza, um cão cosmopolita, que adorava alguns dispositivos urbanos, como escadas rolantes. Costumo colocar primeiro a mão no corrimão para sentir o movimento e, em seguida, dou o comando para que o cão siga em frente. Mas o Boris chegava a ter um nível de sutileza que, ao perceber minha hesitação, orientava com o focinho minha mão até que eu encontrasse o corrimão.

Eram comportamentos para os quais ele não havia sido treinado, mas, por saber que o objetivo final era facilitar minha locomoção, acabava usando a criatividade e inventava soluções próprias. Ele tinha uma memória incrível para se lembrar de rotinas, o que era até motivo de brigas entre nós. A questão é que todos os dias antes da aula eu entrava na lanchonete da ESPM para tomar um café. Quando acontecia de eu ficar trabalhando um pouco mais e chegava atrasada, ele ficava indignado de eu querer ir direto para o elevador. Eu dizia para ele ir para a esquerda, mas ele me puxava para a direita como se dissesse: "Não! Você está se esquecendo de algo, primeiro você tem de tomar o café!".

Outro fato curioso: todos os dias, quando chegávamos à sala de aula, eu tirava os equipamentos dele e dizia: "Boris, vá falar oi para seus amigos". Ele ia de carteira em carteira abanando o rabo para cada pessoa. Quando o professor iniciava a aula, ele dormia no meu pé. Quando alguém chegava atrasado e abria a porta para entrar, ele se levantava e ia recepcionar o retardatário. Seguia com a pessoa até a cadeira dela e depois voltava para o meu lado. Ninguém o treinou para fazer isso. Todos também se encantavam com o Boris porque na lanchonete tinha uma catraca de entrada e outra de saída que ficavam praticamente grudadas, mas o Boris nunca errava.

Concluí o MBA em 2005. Foram dois anos muito importantes. O curso me trouxe grande evolução profissional, e os amigos, professores, alunos e funcionários garantiram bons momentos e crescimento pessoal. As muitas histórias do Boris eram difundidas por toda a escola. Todos achavam o máximo quando ele se levantava e se colocava ao lado do professor sempre que a aula se estendia para depois do intervalo.

Mas a campeã de audiência, sem dúvida, foi uma história que aconteceu logo que Boris chegou ao Brasil. Nos primeiros três meses, não havia mais situações de risco, mas o Boris ainda aprontava das suas e persistia em testes de liderança. Sabia que seu trabalho era impecável, porém, como a personalidade dele era forte, ele sempre tentava levar alguma vantagem. Os instrutores sempre orientaram para que se retribuísse o que o cão fizesse de legal com carinho, elogio, estímulo de voz e a repetição de frases como "muito bem", "*good boy*". Essa é uma forma de troca, o prazer que ele sente de ver que fez coisas que deixaram você feliz.

Certa vez, resolvi levar no bolso alguns biscoitos para premiá-lo em algum feito importante. Perto de minha casa, deparei com várias árvores e galhos que haviam caído nas ruas e calçadas por causa de uma chuva forte na noite anterior. Ao topar com um tronco no meio do caminho, Boris desviou pela rua e depois voltou para a calçada. Eu o cumprimentei, o elogiei muito e dei-lhe um biscoitinho. Continuamos andando, e ele repetiu o desvio. Imaginei: "Outra árvore caída". De novo: "Muito bem, muito bem", e biscoitinho para ele. Dali a pouco, ele desviou novamente. Então comecei a ficar intrigada com tanta árvore caída no meio do caminho. Ao ouvir um casal conversando num portão próximo, perguntei: "Tem muita árvore caída por aqui?". "Não", respondeu a moça, "só uma no começo da rua."

Não podia acreditar! O danadinho acertou da primeira vez e depois ficou brincando de ir para a rua só para ganhar biscoito!

Ele não é um cachorro, apenas tem quatro patas

Estávamos num shopping center quando resolvi fazer uma pausa para o almoço. Pedi orientação para encontrar um restaurante. Surpreendentemente, recebi apenas as orientações de que precisava: "Siga mais uns quinze metros nessa direção, vire à direita e, ao final do corredor, vire à esquerda". Ninguém se ofereceu para me acompanhar; pelo visto o Boris se mostrou uma excelente companhia, dispensando qualquer interferência. Ao tentar entrar no restaurante, fui abordada por um dos funcionários: "Desculpe, o cachorro não pode entrar". Expliquei que se tratava de um cão-guia. "Eu sei, mas não pode nenhuma raça." Esclareci que cão-guia não era uma raça, e sim um cão treinado para guiar pessoas com deficiência visual, e que se ele não pudesse entrar nos restaurantes eu não poderia me alimentar. Ele, seguindo o *script* com o qual eu já estava acostumada, chamou o superior. Os mesmos argumentos foram usados, e nada de entendimento. Passei então para a segunda etapa e informei que havia uma lei que garantia o acesso do Boris aos restaurantes. Continuava do outro lado a contra-argumentação de que cachorro em restaurante seria um problema etc. etc. Então, expliquei que o Boris não era um cachorro, que ele era um instrumento de locomoção, e se tinha quatro patas e cara de cachorro isso era apenas uma coincidência. Sem saber como lidar com a estranha informação de que havia um cão que não era um cão, o funcionário também achou melhor chamar o superior. Quando o terceiro chegou, eu que já estava ficando irritada, especialmente porque a fome estava aumentando, disse que se eu não pudesse entrar chamaria a polícia. Ele, então, pensou ter encontrado uma saída de mestre e me indicou uma mesa, daquelas de espera, para que eu almoçasse.

"Senhor, como eu disse, o Boris tem a missão de contribuir para minha inclusão social, e inclusão quer dizer conviver com as pessoas, estar no mesmo ambiente que elas. Não faz sentido eu ficar isolada nesta mesa de espera."

Perplexo, ele me garantiu que aquela era a melhor mesa. "Claro, eu acredito, mas não me importo de ficar em outra pior, desde que seja naquele salão de onde vêm as vozes das outras pessoas." Numa última tentativa desesperada ele disse que não havia nenhuma disponível. Encerrei a discussão com um argumento decisivo: "Eu aguardo".

Em menos de dois minutos eu estava sentada com o Boris a

uma mesa tradicional. O almoço foi ótimo e, enquanto eu assinava o boleto do cartão de crédito, o maître se aproximou e pediu desculpas. Disse que jamais poderia imaginar que um cão fosse capaz de se comportar tão bem dentro de um restaurante. Embaixo da mesa, Boris deu aquele seu espirro como que respondendo "não sou inglês, mas sou um lorde!".

Personal stylist

Certa vez fui ao programa da Hebe para falar sobre vaidade feminina. Estavam presentes vários artistas e modelos profissionais. Fui convidada por ser conhecida como uma pessoa muito vaidosa com a aparência pessoal. Destaquei aspectos importantes, como o fato de eu me cuidar sozinha e saber que, nos ambientes que frequento, recebo aprovação pela maneira de me apresentar. Contei detalhes de como faço escolhas, tanto de maquiagem quanto de roupas. Todos sempre têm curiosidade em saber como isso funciona para mim.

Sempre gostei muito de ver as últimas novidades que estão nas vitrines, da minha versão de "ver vitrines". Aliás, acho minha versão bem mais dinâmica e interessante do que a convencional. É muito mais simples e eficiente. Na época do Boris era simples. Assim que entrávamos em alguma loja eu pedia a ele que encontrasse um balcão, onde geralmente havia alguém para quem pudesse perguntar se tinha algum vendedor disponível. Na maioria das vezes isso nem é necessário, normalmente os vendedores logo se apresentam. Em seguida, o ritual. Se procuro algo específico, ou melhor, tenho uma vaga ideia do que quero, considerando que nós, mulheres, não entendemos essa esquisitice de chegar a um lugar com a exata definição do que se vai comprar, peço à vendedora que me mostre algumas opções de sapato preto, por exemplo. Depois de experimentar uns trinta pares, começo a pensar que talvez já tenha muitos sapatos pretos e que um marrom poderia ser mais apropriado. Após analisar alturas e formatos de saltos, texturas, recortes, tons e estilos, saio satisfeita da loja; naturalmente, com mais de um par e provavelmente nenhum daqueles que eu buscava inicialmente.

Quando compro roupas também acontece dessa forma. Até prefiro ir sozinha às compras, se bem que às vezes é bem divertido sair para "peruar" com alguma amiga. Sinto todos os detalhes com as mãos, especialmente corte e acabamento. Quanto às cores, lembro-me até hoje delas. São a única lembrança que tenho de quando enxergava. Então, pergunto à vendedora qual é a cor de uma peça. Depois de dizer "verde", por exemplo, vem a seguinte pergunta: "Que tipo de verde?". É geralmente nesse momento que vem uma resposta e em seguida uma consulta a outros vendedores ou até clientes da loja, e a interação acaba transformando uma simples venda num momento bem divertido. Acontece que os nomes dados às cores geralmente pouco me dizem a respeito de seus tons e todos acabam usando a criatividade para tentar fazer uma definição da tonalidade. Eu, para evitar mal-entendidos, me certifico com que outras cores aquela combina e, depois da informação passada, ainda quero saber entre as opções quais são seguras e quais são mais... digamos... alternativas.

Mas, além da vaidade tipicamente feminina, estou sempre atenta ao visual por razões mais racionais. Sei que as pessoas, lamentavelmente, julgam as outras pela aparência a todo momento, e esse aspecto é decisivo inclusive no mercado de trabalho. Então, procuro caprichar para não ter de lidar com mais um preconceito. Uma das vezes em que saí para comprar roupas com uma amiga do Banco Real, ela me contou que, quando souberam que eu iria trabalhar com elas, as mulheres da área começaram a conjecturar a respeito de meu perfil e provável estilo. Quase todas as apostas se concentravam em sapatos baixos, que seriam mais seguros, cabelo reto, roupa básica de uma só cor neutra e nada de maquiagem. Foi uma surpresa quando cheguei no primeiro dia maquiada, de salto alto, unhas feitas e com a roupa e os acessórios absolutamente adequados para o ambiente. Ao saberem que eu morava sozinha, a curiosidade só fez aumentar e, no primeiro almoço que tivemos só entre mulheres, vieram as perguntas:

"Quem a ajuda? Como escolhe suas roupas?"

"Tenho um *personal stylist*. Ele é incrível, fantástico mesmo!"

"Ah, é?"

"Sim, o Boris!"

Esconde-esconde no apartamento

O fato é que nos conhecíamos muito bem e sabíamos com exatidão as necessidades um do outro sem precisar de palavras. Embora o Boris estivesse com algo em torno de 35 anos, convertendo para a idade humana, eu continuava chamando-o de Baby Dog, o que ele adorava. Felizmente, Boris nunca perdeu seu jeito moleque, capaz de me fazer sorrir mesmo nos piores dias de TPM.

Uma das brincadeiras com que nos divertíamos muito era uma espécie de esconde-esconde. Colocava o Boris sentado na cozinha, por exemplo, e pedia para ele esperar até que eu me escondesse em outro cômodo, atrás de uma porta ou móvel. Então eu dizia "pronto!". Ele saía em disparada procurando por todos os cantos da casa. Quando me encontrava, fazia aquela festa, pulava, ameaçava latir e me mordia de brincadeira. Depois ele se sentava novamente como quem dizia: "Vamos, mais uma!".

Boris e eu éramos grandes parceiros. Mais do que isso: éramos um time. É verdade que sua presença me trouxe grandes facilidades de locomoção, mas os benefícios mais importantes foram muito além do plano físico. Com ele, passei a sair e a me expor muito mais, o que favorecia o contato com um número maior de pessoas. Curiosamente, os cães são grandes facilitadores para a aproximação entre seres humanos. Meus amigos, quando saíam com o Boris, garantiam que ele facilitava a paquera. Ou ainda, como dizia um amigo: "Sair com o Boris dá status".

O cão-guia, mais do que um auxílio técnico, faz muito pela imagem da pessoa. Ele projeta a independência e todos passam a ver e tratar a pessoa com deficiência de outra forma. Essa mudança foi muito importante para mim. Antes, alguns comentários que eu ouvia tinham uma conotação de piedade: "Coitadinha, que dó". Se não estivermos fortalecidos, esses comentários deploráveis afetam e derrubam nossa autoestima. Quando eu ainda usava a bengala, era frequente ouvir alguém dizer: "Nossa, coitada, tão bonita e não enxerga", como se uma coisa tivesse a ver com a outra. Eu até brincava com meus amigos que, pelo menos, a tragédia não era total.

Ao andar com o Boris, ao contrário, os comentários eram sempre muito positivos: "Olha que legal esse cachorro". Todos achavam a situação interessante. É claro que existem pessoas que não gostam ou têm medo de cachorro. Eu não entendo, mas respeito. Por isso era bastante rigorosa com o comportamento social do Boris em ambientes públicos. Era surpreendente a postura dele quando íamos a um restaurante, ainda que fosse uma churrascaria com rodízio de carnes. Ele nunca fez menção de atacar uma picanha, por mais suculenta e apetitosa que fosse. Os garçons mal acreditavam que se tratava de um cachorro de verdade. Ele praticamente ficava invisível embaixo da mesa.

Um episódio muito divertido aconteceu no aeroporto de Brasília. Boris e eu fomos fazer uma palestra sobre os benefícios técnicos e sociais do cão-guia para as pessoas com deficiência visual. O público era de oftalmologistas participantes de um fórum de saúde ocular. Foi a primeira vez que dois cães-guia entraram no

Senado (o Boris e o Arthur, cão-guia de um advogado cego de Florianópolis, que também estava participando do evento).

Na volta, na fila do *check-in*, presenciei uma discussão inusitada: "Mas como é que é, ele vai junto com as malas?", dizia o funcionário encarregado do encaminhamento das bagagens. "Acho que ele também tem de comprar uma passagem", argumentava outro. Um terceiro intercedia: "Será que não pesa como excesso de bagagem?". Antes que a coisa fosse mais longe e o Boris acabasse etiquetado e despachado esteira adentro, decidi entrar na brincadeira e fechei a questão: "Que tal classificá-lo como bagagem de mão?". Após um breve momento de reflexão, todos se mostraram satisfeitos com a solução. Nunca tive grandes problemas em aeroportos. Até porque o cão-guia é muito comum em diversos países, e aeroportos são uma área de orientação internacional. Em outra viagem, um comandante muito solícito, e que adorava cachorros, ficou encantado com o Boris. Queria porque queria que ele se acomodasse em uma poltrona. Não se conformava que o Boris viajasse no chão, embaixo do banco.

Aeroportos sempre renderam boas histórias com o Boris. No final de 2005, fui selecionada para um curso na Guatemala sobre desenvolvimento de projetos e captação de recursos. O curso foi promovido pela Agência de Cooperação Internacional Espanhola e pela FOAL, Fundação Once para América Latina.

Antes de embarcar, tomei o cuidado de ligar para a embaixada da Guatemala no Brasil para pesquisar sobre os procedimentos relativos à entrada de um cão-guia no território guatemalteco. A funcionária, muito gentil, informou que os cães-guia tinham livre trânsito naquele país.

Lá fomos nós então, felizes e contentes rumo a uma nova experiência.

No primeiro trecho do voo, São Paulo-Panamá, Boris e eu voamos sem ninguém conhecido ao lado, quer dizer, sem alguém que conhecêssemos anteriormente, porque estar com o Boris significava, necessariamente, fazer amizades em um segundo. Mesmo quando eu não estava lá muito disposta para novos amigos, era impossível afastá-los, uma vez que ele fazia com que qualquer um se sentisse bem-vindo.

Ao chegar ao Panamá, onde faríamos conexão para a Guatemala, os comissários nos deixaram em um banco e pediram para que aguardássemos. Alguns minutos depois trouxeram outro colega brasileiro que participaria do mesmo curso, Carlos Ferrari, também com deficiência visual.

Começamos a conversar, e ele, que não era um cachorreiro de carteirinha, também se encantou com Boris. Mas o encantamento maior estava por vir. No meio da conversa nós dois manifestamos interesse em passar o tempo da espera fazendo compras no Duty Free. E ficamos aguardando alguém da companhia aérea, que havia prometido vir buscá-lo para acompanhá-lo.

Porém, acostumados que estamos a não raros esquecimentos desse tipo de promessa, ficamos questionando se realizaríamos o nosso desejo. Carlos ainda comentou que não tinha a menor ideia sobre a direção que deveríamos seguir para chegarmos ao nosso objetivo. E então, confiante nas peripécias do Boris e na eficácia do time que formávamos, resolvi arriscar.

"Carlos, não posso garantir nada, mas podemos tentar pedir para o Boris nos levar até lá."

Ele riu e, dado também a aventuras, disse que valia o risco.

Bom, agora era ver no que dava.

A primeira bola era minha, eu deveria dar algum comando para o Boris, lembrando que ele nunca havia estado naquele lugar...

Pensei um pouco e, confiante na capacidade de associação do Boris, fiz a minha parte:

"Boris, vamos! *Let's go shopping*?!"

E lá fomos os três. O Boris me guiando e o Carlos nos seguindo segurando no meu ombro.

Lembrei de alertá-lo para usar a sua bengala para proteger seu lado direito, pois o Boris podia calcular apenas o espaço para nós dois, e não três.

Começamos a andar no meio daquele tumulto de pessoas, malas, carrinhos, avisos sonoros para todos os lados.

Boris andava ora mais rápido, ora bem devagar, e eu repetindo: *"Let's go shopping!"*

De repente ele começou a andar bem determinado como quem está certo do que deve fazer.

E então, a surpresa para nós. Estávamos na frente do balcão de uma das lojas do Duty Free.

Fizemos a maior festa para o Boris, que se sentia todo orgulhoso do feito. Achei que merecia alguns biscrocs que trazia no bolso para diminuir os efeitos da despressurização do avião.

Nos divertimos e gastamos a valer, especialmente com os perfumes.

A empolgação foi tanta que acabamos nos esquecendo da hora. Quando fomos olhar, ou melhor, ouvir no relógio, já chegara a hora de embarcar. Finalizamos a última compra e só o que eu podia dizer para o Boris era *back!*

Estávamos no meio do saguão quando a comissária veio correndo ao nosso encontro bem mal-humorada com o fato de não termos brincado de estátua no banco em que ela havia nos deixado.

Com o Boris, eu não mais precisava brincar de estátua.

Seguimos o outro trecho da viagem juntos e comentamos por muito tempo a performance do super Boris. E o Carlos comentava que nem havia precisado da bengala, que o Boris era o melhor cachorro que ele havia conhecido e que estava pensando em ter um cão-guia também.

Quando decidi ter um cão-guia, havia menos de uma dúzia de cães com essa finalidade no Brasil. Mal existiam leis a esse respeito. Era um novo conceito e seria ilusão acreditar que eu transitaria tranquilamente, sem ser notada ou abordada com frequência. Na maioria das vezes, dava atenção, deixava que as pessoas se aproximassem dele e até gostava disso. Mas é claro que existem aqueles dias em que estamos com pressa, atrasados ou simplesmente cansados. Para quem nunca conheceu um cão-guia pessoalmente, a curiosidade é muito grande. No caso do Boris, que tantas vezes havia aparecido em noticiários e programas de TV, o assédio era ainda maior. Em geral me perguntavam: "Como é mesmo seu nome? O dele eu sei que é Boris". Tinha de me contentar em ser simplesmente a dona do Boris, o que era uma grande honra para mim.

É claro que para o trabalho de guia toda essa mobilização não é o mais recomendável, pois desvia a atenção do cachorro. O ideal é sempre perguntar antes para o usuário se é um bom momento para fazer um carinho ou trocar uma ideia com o cão.

Antes do fim

Um primeiro sinal

Desde o início, minha relação com o Boris era atormentada por uma questão: como seria quando ele tivesse de se aposentar, ou quando ele viesse a falecer.

Eu sempre respondia que não pensava nesse assunto, o que era a mais pura verdade. Acreditava que o fato de pensar nisso, enquanto o Boris estava em sua melhor forma, era uma atitude sem sentido. O típico caso de sofrer por antecipação. Sem nenhum benefício para o futuro, pois não acreditava que o fato de pensar faria com que a dor diminuísse no momento em que isso acontecesse.

Boris era como meu sol, minha luz, em vários sentidos. Primeiro porque me fazia enxergar o mundo de outra forma, pelos olhos de um cão, que tem um olhar mais simples e claro sobre as pessoas, os lugares e as situações. Também porque ele iluminava minha vida, trazendo muita energia e felicidade. Por fim, o sentido mais óbvio: ele funcionava como uma luz que me permitia andar sem medo de tropeçar ou bater em alguma coisa. Com muita generosidade, ele me emprestava seus olhos, sua visão.

O problema é que um dia esse momento chegou. E descobri que estava mais certa do que gostaria. Nada teria me preparado.

O primeiro alerta foi mais sutil, possível de ser adiado, de fingir que não era nada.

E stávamos caminhando pela avenida Paulista, um de nossos lugares favoritos, calçadas amplas, muita gente, um clima muito cosmopolita que tinha tudo a ver com o Boris. Tínhamos bastante intimidade com a grande avenida e lá nos sentíamos em casa. Boris adorava subir nos canteiros suspensos para marcar território. Numa tarde, tivemos de sair para realizar algumas atividades em diversos pontos da avenida. Como algumas dessas tarefas eram vinculadas, tivemos de ir e voltar algumas vezes, passando boa parte da tarde nesse vai e volta.

A temperatura estava amena, especialmente quando terminamos tudo e estávamos voltando para casa. Ao pararmos para aguardar o semáforo abrir para pedestres, o Boris se jogou no chão.

Para qualquer pessoa aquilo poderia parecer normal, uma deitadinha para descansar. Mas eu conhecia cada movimento dele e sabia que algo estava diferente. Ele não se deitou, como fazia muitas vezes ao se cansar de esperar. Ele desabou, se largou no chão, como se dissesse: "Não estou aguentando".

Fiquei assustada. Ao abrir o semáforo, o chamei para seguirmos nosso caminho. Procurei ir bem devagar, prestando atenção em seu ritmo. Ele foi bem lento, mas nada de anormal no restante da caminhada.

Então reparei que ele já andava mais devagar do que antes.

Quanto mais devagar? Há quanto tempo? Quando esse ritmo havia mudado?

Não sabia responder. Acho que essas coisas são assim mesmo, micromudanças que acontecem todos os dias e não são perceptíveis na convivência diária.

Esse episódio deve ter acontecido em abril ou maio de 2008, porque me lembro de ter me dado conta de que o Boris já estava comigo havia oito anos.

Nos dias seguintes, tudo estava normal, exceto pela agora

consciente percepção de que o Boris andava bem devagar. Ainda tinha energia para iniciar caminhadas trotadas, o que ele amava, mas o corpo não dava conta e os trotes eram logo trocados por passos mais lentos.

Por volta de agosto do mesmo ano, aconteceu um novo episódio.

Eu saí para fazer uma caminhada com ele pela Vila Leopoldina, próximo ao Iris. Diferente da Paulista, a área é bem residencial e arborizada, uma caminhada tranquila. Estávamos a uma quadra do Instituto, quando aconteceu o que nunca havia ocorrido em oito anos e quatro meses de parceria. Boris deixou que eu batesse o rosto em um obstáculo aéreo.

A situação era complexa, havia uma escada apoiada em um caminhão que estava lá para fazer algum conserto na rede elétrica. Ele me tirou da calçada, pois estava totalmente obstruída, e me levou para a rua. Ao fazermos a curva para contornar o caminhão, bati o rosto na ponta da escada.

A batida foi bem debaixo do olho, mas não foi muito forte. Comecei a chorar. Aflitos, os homens que estavam trabalhando no conserto vieram ao meu encontro perguntando sobre a gravidade do acidente. Tentei tranquilizá-los no sentido de que não havia me machucado, mas eu mal conseguia falar.

Como explicar a eles que eu chorava por ter chegado o momento?

Nem corrigi o Boris e voltei chorando para o Instituto. Chegando lá, felizmente encontrei a Alexandra, e pude falar um pouco sobre o que estava sentindo. Pedi a ela que voltássemos ao local para entender direito a situação. No fundo, eu esperava alguma fala do tipo: "Nossa, a situação era totalmente complicada, não tinha como desviar...".

Mas eu sabia que nunca houve "impossível" para o Boris. Ao chegarmos ao local, a cena já havia sido transformada e não pudemos identificar muita coisa.

Voltando para o Iris, um pouco mais controlada, resolvi ligar para Moisés.

Assim que ele falou "alô", não consegui dizer uma única palavra. Passei o telefone para Alexandra, que explicou a situação para ele. Moisés pediu para falar comigo e, com cuidado, disse: "Thays, precisamos conversar com calma. A gente sabia que esse momento iria chegar".

"É."

"Eu sei que é muito difícil para você."

"É."

"Não, na verdade não sei bem como é para você."

Depois do ocorrido, o dia continuou meio estranho. Pedi várias vezes a Alexandra que saísse comigo para tomarmos um café, eu precisava me distrair até que conseguisse processar um pouco melhor os acontecimentos. Eu tinha de pensar em tanta coisa...

Se o Boris ia se aposentar, isso significava que eu precisaria de outro cão-guia. Então eu teria dois cães. Claro, não havia a menor possibilidade de eu me separar do Boris. Não, isso estava decidido. Mas, morando sozinha em um apartamento, como eu teria dois labradores?

Naquele dia não falei mais sobre o assunto com Moisés. No dia seguinte conversamos, eu tinha muita dúvida. Seria mesmo o momento de aposentar o Boris? Um acidente, um único acidente, que nem havia deixado cicatriz, seria o bastante para uma decisão dessas?

Muitas conversas eu tive antes de terminar de processar aquela realidade. Então um dia, enquanto trabalhávamos – Moisés, Alexandra e eu – no escritório do Iris, que eu presidia naquele momento, falei de repente:

"Certo. Vou pegar outro cão-guia."

Geralmente, quando tenho de tomar uma decisão difícil, jogo as emoções para dentro de um compartimento onde elas vão se ajustando em seu ritmo, que quase sempre é mais lento do que o da razão. Quando faço isso, começo apenas a tomar providências práticas que viabilizem a decisão tomada e não retomo o assunto a não ser depois de ele já ter sido resolvido.

Foi o que fiz nesse caso. Se eu pensasse mais uma vez, provavelmente desistiria, e de alguma forma eu sabia que era isso o que eu deveria fazer. Então, comecei a vivenciar a adrenalina de viabilizar mais uma turma em parceria com a Leader Dogs.

Era estranho porque em alguns momentos eu sentia uma emoção extra pelo fato de fazer parte dessa nova turma, mas em outros momentos parecia que eu não tinha nada a ver com a história. Como se estivesse organizando as coisas apenas para outros usuários, como havia feito tantas vezes.

Mandei um e-mail para o Zé contando minha decisão. Estávamos separados. Queria saber se ele poderia ficar com o Boris durante o período de minha viagem aos Estados Unidos para buscar o novo cão. Como imaginava, ele ficou surpreso com a notícia. Disse que sim, que ficaria com o Boris naquele período e que gostaria de ficar com ele depois também.

Nem pensar, o Boris era meu e ninguém, nem mesmo o Zé, iria ficar com ele. A propósito, havia uma enorme lista de candidatos para ficar com o Boris quando ele se aposentasse. Mas isso estava fora de cogitação.

Tomei a decisão no final de agosto, início de setembro. A viagem seria na metade de novembro. Com a correria, papelada, visto, definição de usuários etc., acabei me dando conta um pouco tarde de uma coisa. Quando eu voltasse dos Estados Unidos, seriam dois cães em minha vida. Eu morava em um apartamento de um dormitório, e isso não me parecia espaço suficiente para dois labradores.

Certo, precisava mudar de casa. Ao mesmo tempo, estava inscrita para um concurso do Tribunal Regional do Trabalho (TRT) e tinha de estudar se quisesse ter alguma chance de passar. Cheguei a iniciar um curso específico para o concurso, mas acabei desistindo. Era muita coisa em pouco tempo.

Duas semanas antes da viagem achei uma casinha interessante. Ficava a duas quadras do Instituto, a três quadras da casa de minha mãe, tinha um pequeno quintal, dois dormitórios e o preço era bem razoável. Eu poderia levar o Boris para trabalhar também e, nos momentos em que ele ficasse em casa, teria um quintal para suas necessidades.

Acabei de arrumar minhas malas no sábado à noite bem tarde. Sentei com o Zé no sofá para assistirmos a um filminho e coloquei o Boris lá com a gente. Ele adorava o sofá e havia conquistado esse privilégio ao longo de sua brilhante carreira.

Sentia algo estranho, como se alguma coisa se agitasse dentro de mim, era como se eu estivesse meio anestesiada. Com tanta inquietação, não consegui dormir logo. No dia seguinte acordei cedinho para fazer a primeira prova do concurso do TRT. Boris nunca ia comigo fazer provas. Primeiro porque era mais uma preocupação pensar em suas necessidades, como água e *park time*. E também porque uma vez havia feito essa bobagem e não consegui me concentrar na prova de jeito nenhum. Muitas pessoas vinham à sala para vê-lo. Por mais que fossem discretas, falando baixinho ou nem conversando, eu notava a presença delas e acabava perdendo o foco.

Dessa vez não foi diferente. Fui sem o Boris. Depois do concurso, eu iria direto para o aeroporto.

Meus pais foram me levar para fazer a prova. Eu me despedi do Zé e do Boris em casa mesmo, ou melhor, na calçada, porque os dois me acompanharam até o carro.

Algumas lágrimas foram inevitáveis naquele momento, mas respirei fundo e tentei dar um jeito de empurrar as emoções todas para aquele compartimento que deveria se manter fechado por mais algum tempo.

O dia passou voando com a realização das provas. Como sempre, houve algumas perguntas a respeito do Boris, feitas por pessoas que conheciam nossa história da TV.

Ao terminar a prova da tarde, estava muito cansada. Parecia

que já não tinha tanta força para segurar os sentimentos no lugar que eu havia determinado para eles. Fui com um dos fiscais até o portão, onde minha mãe me aguardava.

Andei alguns passos por aquela rua lotada de pessoas recém-saídas do concurso e aquilo me incomodou um pouco. Mas, de repente, tudo mudou de perspectiva. Senti aquelas mordidas que eu tanto amava em meu braço. Minha irmã havia tido a brilhante ideia de me fazer uma surpresa e levar o Boris para me buscar. Ele iria comigo até o aeroporto!

Tudo parecia melhor. Meus sobrinhos, o Lucas e o Xande, também me acompanhariam. A ida para o aeroporto se transformou numa festa, e eu consegui ganhar mais essa batalha contra as emoções trancadas. As crianças faziam o maior barulho, pediam listas de presentes dos Estados Unidos e devoravam o resto do kit de sobrevivência que havia sobrado da prova, como água, biscoitos, chocolate. Boris estava comigo no banco do passageiro na frente e parecia bem animado. Ele não tirava a cabeça do meu colo um único segundo.

No aeroporto, foi uma correria e tanto, até porque ainda tinha de comprar os dólares para a viagem. Boris foi comigo à casa de câmbio e também à farmácia, porque me lembrei de mais uns produtinhos para comprar de última hora. Eu também queria parar para um café com todos, mas já era hora de embarcar. Começou aquele clima de despedida e, por fim, o momento de me despedir do Boris. Ah, ele havia me guiado até o portão de embarque, ele sempre adorou aeroportos.

Abaixei para me despedir dele e comecei a chorar. Eu o abracei com força e ele, sempre positivo, deu um beijo em meu nariz. Era algo como:"Vá em frente". E não tinha outra coisa a fazer. O funcionário da companhia aérea se comoveu com a cena e tentou me distrair. De repente eu já estava sentada no banco do avião e sentia a vibração de um voo que estava para se iniciar. Enfim, me dei conta de que o Boris havia acabado de se aposentar. Seu último trabalho foi me conduzir ao embarque para uma nova história.

Nova velha experiência

Sentada naquele avião, que parecia demorar séculos para partir, eu me sentia exausta e queria muito dormir. Viajando na classe econômica e no estado emocional em que eu me encontrava, isso não parecia uma tarefa muito fácil.

Nunca tomei remédio para dormir, mas naquele momento eu bem que poderia ter aberto uma exceção. Como não havia pensado nisso antes, o jeito era me valer de um Polaramine com um Dorflex, que eu havia tomado para dor de cabeça. E funcionou. Consegui dormir até umas cinco e meia da manhã.

Ao acordar, meu primeiro reflexo foi abaixar a mão para acariciar um cachorro que não estava lá. Pela primeira vez entendi claramente a expressão, que às vezes eu achava exagerada, de que o cão-guia é uma extensão do corpo do usuário. Eu sentia um vazio muito peculiar.

Cheguei a Nova York e teria de pegar outro voo para Detroit. Lá haveria alguém da Leader Dogs me esperando. Nunca me senti tão sozinha. A língua não era a minha, não havia nenhum conhecido e meu parceiro não pôde ir comigo. Cheguei a cogitar a possibilidade de levar o Boris, mas Moisés me assegurou que não poderia fazer isso. Só eram levados os cães-guia aposentados que seriam dados para a adoção.

Chegou a hora de embarcar novamente e eu já me sentia um pouco melhor. Acho que o fato de ter discutido com uns prestadores de serviços do aeroporto me fez mudar um pouco a energia. Eles queriam, de qualquer jeito, que eu fosse para o local do segundo voo numa cadeira de rodas. Argumentavam que teríamos de andar rápido, e na cadeira seria mais seguro para mim. "Eu não vou. Posso andar bem rápido", disse. Mas eles insistiam:

"Nós não podemos acompanhá-la de outra forma."

"Então vocês me indicam o caminho e eu vou sozinha."

Claro que eu não me sentia nem um pouco segura para fazer isso na prática, pois estava com a bengala, que não usava havia uns nove anos.

Então eles arrumaram um funcionário para me acompanhar. Ele era bastante simpático e acabou sendo divertido. Pronto, agora seriam mais umas duas horas.

Quando desci em Detroit, encontrei duas voluntárias da Leader que já estavam me aguardando. Fazia muito frio e havia um trecho de lentidão na estrada para Rochester por causa da neve do dia anterior. Elas deram um milhão de explicações para aquele pequeno ponto de congestionamento. Tive de rir. Se elas soubessem o que é São Paulo...

Enfim, chegamos à escola. Desci do carro enquanto elas retiravam a bagagem. Estava parada, sentindo o vento frio, quando ouvi um único cachorro latir. Imaginei que aquele era meu futuro cão-guia. Pronto, agora havia dado para acreditar em contos de fadas. Devia ser o cansaço, o estresse dos últimos tempos. Ri de mim mesma e pensei que deveria parar de viajar.

Entrei no novo alojamento, que me foi apresentado por uma das voluntárias. Fiquei surpresa com as mudanças. Pedi para que me mostrassem apenas o essencial porque queria ir para meu quarto descansar. Eram umas três horas da tarde e os outros estudantes já haviam saído para alguma aula.

Nesse primeiro dia, assim como antes, não havia contato com os cães. Cheguei ao meu quarto e adorei o fato de que agora eram individuais. Uma suíte para cada pessoa. O quarto era bem amplo, com uma cama enorme e muito confortável no centro. Em frente havia uma escrivaninha com portas e gavetas, além de duas cadeiras.

A cabeceira da cama eram duas pequenas prateleiras. Havia uma poltrona ao lado da cama e um canto para prendermos os cães.

Sozinha no quarto, me deitei e descobri alguns objetos. Um colchonete, como esses de academia, para os cães dormirem, uma vasilha de água e comida, dois tipos de escovas, um pente, um saquinho de biscoitos. Tudo para os cães. Aquilo foi demais para mim. Comecei a chorar. Não achava justo que o novo cão, que eu nem conhecia, tivesse tudo aquilo. No tempo do Boris ele tinha de dormir no chão puro.

Uma mistura de saudade com a sensação de estar traindo o Boris explodiu dentro de mim.

Eu queria rever minha decisão, mas não havia mais tempo para isso.

Tomei um banho e descansei um pouco. Achei melhor não dormir para não estragar o sono da noite.

Encontrar os outros brasileiros foi algo muito bom. O jantar, que acontecia às 17h30, também foi bem divertido. Eles me contaram das atividades dos últimos três dias. Moisés falou sobre os planos para o dia seguinte, e eu estava me sentindo muito melhor. Diria até que estava animada.

Na manhã seguinte acordei bem cedo. A primeira atividade do dia foi uma saída para o espaço da Leader Dogs, que fica no centro da cidade. É um conjunto de escritórios e uma sala bem grande, cheia de mesas, onde aguardamos durante os treinamentos. Fomos com os micro-ônibus da escola. Ao chegarmos lá, deveríamos descer simulando que estávamos com nossos cães, segurando a guia na mão esquerda.

Aquilo foi outra coisa insuportável para mim. Comecei a chorar antes mesmo de sair do ônibus. Acredito que era por chegar ao mesmo local onde estive com o Boris. Eu, que sempre fui bem controlada com a exposição de meus sentimentos, estava me sentindo uma chorona. Fui para a mesa dos brasileiros e dei graças a

Deus por não ser a mesma mesa que ocupamos nove anos antes.

Um dos instrutores havia me mandado um CD com a história de alguém que havia perdido seu primeiro cão-guia. Confesso que ainda não tive coragem de ouvir. Uma usuária americana que estava em seu sexto ou sétimo cão-guia também veio conversar comigo. Comecei a achar confortável estar entre pessoas que entendiam o processo pelo qual eu estava passando. Embora soubesse que cada caso era muito peculiar, eu considerava o meu ainda mais particular.

Os outros colegas também estavam quietos, mas no caso deles o que prevalecia era a ansiedade, pois encontrariam seus primeiros cães-guia. No almoço rimos bastante, inclusive sendo eu um dos motivos das piadas. Havia duas portas no quarto, uma dando para um corredor interno e outra para a área externa da escola, que utilizávamos para o *park time* dos cães. Eu fechei a porta, travada por dentro, e fiquei trancada para fora.

Soubemos que receberíamos os cães no dia seguinte. À noite, Moisés me chamou para uma conversa. Disse que estava pensando em um cão muito bom e bem legal para mim. "Mas ele só tem um probleminha: late bastante; aliás, é o único cão que late no canil."

"Nossa, eu o ouvi latir quando cheguei. Só podia ser!", pensei. Agora estava ansiosa para conhecer o tal cão que Moisés não quis dizer o nome de jeito nenhum.

Na manhã seguinte todos estávamos muito ansiosos. Uma ansiedade que provocava agitação, muita conversa e movimento. Eu sabia como era. Mas eu estava quieta, muitas emoções misturadas, desejo de conhecer o novo e receio de substituir o tão conhecido. Como pensar em substituir o insubstituível? Essa era a questão, precisava definir algum papel para esse novo cão que não fosse o de substituto, mas eu não sabia qual.

Depois do almoço me sentei na poltrona do quarto para ler um livro enquanto o esperava. Dessa vez, não fiz lá grandes produções para recebê-lo. Jeans e uma malha branca de tricô.

Ele chegou. O nome era Diesel, um labrador preto, um ano e meio. Eu o chamei, e ele veio de um jeito nada labrador.

Aproximou-se devagar. Doce e frágil, foi a sensação imediata que tive. Foi impossível não gostar dele naquele momento. Eu estava me sentindo bem, alegre e em paz.

Foi emocionante tocá-lo. Ele era totalmente diferente do Boris. Que bom; isso talvez facilitasse as coisas. Um cachorro pequeno, corpo ainda meio de filhote, rabo mais curto, focinho menor e cabeça bem quadradinha. Um cachorro compacto, pensei sorrindo, com jeito de bebê. Depois soube que essa impressão era visual também.

Dessa vez não havia outro cão nem usuário no quarto. Não sei se por isso, ou porque ele buscava atenção, ou simplesmente porque gostou de mim, Diesel foi bem mais receptivo comigo do que havia sido Boris nove anos antes.

Mas o Boris havia conquistado seu espaço, e agora o pequeno teria de arranjar o seu também. De alguma forma eu soube que haveria um espaço para ele. Foi uma boa sensação, que eu teria de resgatar com certa dificuldade futuramente. Bom, mas não vamos antecipar as coisas.

Eu me sentia feliz por estar de novo com um cão. Não sabia como seria minha relação com o Diesel cão-guia, mas gostava do Diesel cão.

Naquele momento sentia-me mesmo como uma mulher de 35 anos, capaz de receber os presentes da vida, utilizar as experiências anteriores, reconhecer e apreciar as diferenças entre os seres e as histórias. Eu ainda viria a me sentir como uma adolescente de quinze, uma menina de oito e até uma senhora de sessenta em outros momentos. Naquela hora, porém, em que eu estava sentada no chão abraçando aquele serzinho tão doce e inseguro, sentia-me pronta para valorizar o passado, acreditar no futuro e viver o presente.

Moisés comentou que minha blusa branca estava cheia de pelos pretos. Comecei a rir. Quando recebi o Boris, quase só usava roupas pretas, que viviam cheias de pelos amarelos.

Ficamos no quarto o resto da tarde. Forrei seu colchonete com uma mantinha que havia trazido para ele do avião. Claro que havia pedido uma para levar para o Boris também.

A primeira noite foi supertranquila, ele dormiu o tempo todo. No dia seguinte, saímos para a primeira caminhada em uma área externa e foi ótimo. Como era de esperar, ainda não tinha a mesma confiança que sentia com o Boris, mas me senti bastante segura. Ele andava bem rápido e o que eu mais estranhava era a diferença de tamanho.

Meu desejo mais recorrente era de que ele e o Boris se tornassem grandes amigos.

Alguns dias depois fomos a um parque, algo como uma reserva florestal, para fazermos um treinamento em uma trilha. Foi uma experiência muito intensa para mim. Aquele havia sido o momento mais marcante do treinamento com o Boris, e a saudade falou muito alto. Ao descer do ônibus com o Diesel e me posicionar para o início da caminhada, comecei a chorar. Era uma mistura de sentimentos. A saudade do Boris e daquele tempo, a emoção de estar vivenciando uma nova história e a enorme alegria de, quem sabe, poder sentir novamente aquela sensação de liberdade e de estar viva que eu havia sentido nove anos antes ao ser levada por um cão muito decidido a experimentar pela primeira vez uma corrida independente.

Comecei a caminhada chorando, mas terminei sorrindo. Isso porque, novamente, foi um momento maravilhoso! Diesel trabalhou muito bem e fizemos boa parte do caminho correndo. Mesmo sabendo que era uma pequena infração, que deveríamos controlar a velocidade, não consegui desperdiçar a oportunidade de me sentir tão livre, tão leve, apesar de tanta roupa.

Corremos tanto que, mesmo com o frio abaixo de zero, terminei o trajeto suando. É impossível descrever a experiência de confiar tão plenamente.

Percebi quanto eu era mais confiante agora. O exercício da trilha era uma ruptura de barreiras e promovia certa mágica entre nós e nossos cães.

O dia seguinte foi o melhor para mim em relação às emoções. Sentia-me mais tranquila, mais pronta para receber internamente o Diesel e uma nova história.

Sabia que poderia haver novas crises, mas tudo bem... Pensaria nelas quando acontecessem. A experiência anterior com o Boris me trazia certa facilidade para lidar tecnicamente com o Diesel, porém cada cão é um universo à parte. Estava aprendendo a conhecer o universo do Diesel. Nos momentos mais críticos, para elogios ou broncas, não era raro eu trocar os nomes e chamar o Diesel de Boris. Lá pela segunda semana de treinamento, fiquei muito contente quando uma das instrutoras, que havia treinado o Diesel, comentou que o percebia bastante feliz comigo.

Os dias passavam rapidamente. Para mim, a experiência estava sendo ótima, apesar de alguns momentos de dúvidas e inseguranças. Mas o fato de estar focada apenas no treinamento, e de alguma forma em mim mesma, estava me fazendo bem. Era bom manter certa distância do tumulto de tantas atividades em São Paulo.

Nós nos divertíamos bastante quando saíamos para fazer compras ou quando pedíamos a Moisés que fizesse comprinhas rápidas no supermercado na frente da escola. Ele sempre ficava perdido com as especificações da ala feminina, não entendia como comprar um hidratante podia ser tão arriscado. O sentimento de grupo era muito forte, entre os cães e entre os humanos também.

Minhas dificuldades eram diferentes das dos outros companheiros brasileiros. Eles sentiam mais a questão técnica; para mim, essa parte era tranquila, embora encontrasse dificuldades também nesse ponto, pois os dois cães eram bem diferentes em ritmo, passada e reações. Com o Boris, a orientação era sempre para que eu fosse mais dura com ele. Com o Diesel, orientavam para que eu fosse mais tranquila, pois ele era um cão muito sensível. Era engraçado quando eu pegava o equipamento dele, que ficava pendurado em um gancho na parede. Ele vinha pulando, desesperado para entrar no colete de guia, tamanha era sua vontade de trabalhar. Eu dizia que ele era um *workaholic*.

Lá pela metade do curso, o Diesel resolveu pôr as manguinhas de fora. Saímos um dia para treinar no centro de Rochester. Ele estava terrível no período da manhã. Logo de saída, começou a dar pulinhos brincando com a neve, tentando pegar no ar os floquinhos que caíam. Cada vez que encontrava um montinho de neve, dava uns pulinhos parecendo dizer: "Iuuup!".

Não tinha como não achar graça, mas era complicado também, pois eu precisava que ele se concentrasse no caminho e ainda tinha de me equilibrar naquele chão escorregadio.

Com tudo isso, quase bati em um obstáculo aéreo. Segundo Moisés, o problema era minha posição inadequada. Eu tenho mania de segurar a guia na mão direita e para cima, de forma que acabo induzindo o cão a ir para a direita.

Fiquei preocupada, pois tenho horror só de pensar em bater em um obstáculo, especialmente aéreo! Como tinha a experiência anterior com o Boris, sabia que isso mudaria bastante depois, mas veio à tona um forte receio de que ele não fosse tão bom quanto o Boris.

No meio do trajeto ele também resolveu parar e levantar a pata em uma árvore para marcar território. Ah, nesse ponto ele estava bem parecido com o Boris.

Quase chegando de volta à escola, ao passar outro cão, ele tentou marcar novamente um canteiro. Moisés pediu para eu fazer um exercício de obediência ali mesmo. O problema é que ele não queria se sentar na neve de jeito nenhum. Depois de algumas correções, consegui fazer com que se sentasse e permanecesse na posição. Em seguida, ele voltou bem para a escola. E eu que estava achando que o Diesel era um cachorro tranquilo...

Diesel e eu em Nova York

Embarquei com os outros brasileiros para Nova York, onde permaneceria por uns dez dias em virtude de reuniões agendadas com instituições americanas, como a Brazil Foundation.

Fiquei na casa de Sílvia, irmã de Moisés, que, com sua família, tornou minha estada muitíssimo agradável. A família também contava com um membro canino, o Dexter, um labrador amarelo. Ele era lindo, gigante e muito simpático. Depois de um pequeno estresse na apresentação, Dexter e Diesel tornaram-se grandes amigos.

A casa era bem ao estilo americano, sem muros, de madeira e com um enorme gramado nos fundos, onde os dois corriam juntos todos os dias.

Uma tarde eu estava lá com eles e ouvi uma das coisas mais emocionantes, um grupo de cisnes migrando para o sul. O som que eles faziam era realmente tocante.

Estava sozinha numa manhã e resolvi dar uma volta com o Diesel. Haviam me dito que a umas duas quadras da casa tinha um Dunkin' Donuts. Quis tomar meu café da manhã lá. Com as orientações que haviam me passado, não parecia complicado chegar.

Lá fui eu dando as orientações para ele e pronto, conseguimos encontrar a entrada. Ao entrar, solicitei que ele achasse o balcão. Perfeito! Quando terminei o café e o Donuts, pedi para ir para a porta. Até aí, tudo bem. Porém, esqueci um pequeno detalhe. Não sabia o nome da rua nem o número da casa!

O jeito era torcer para que o Diesel se lembrasse da casa

e não se desviasse do caminho. Qualquer coisa, tinha um celular comigo. Nem acreditei quando ele virou para entrar numa casa e subiu os degraus que já conhecia. Impressionante! Apesar de ter convivido nove anos com o Boris, não consigo deixar de me surpreender com o trabalho deles sempre.

Outra passagem marcante em Nova York foi andar sozinha com o Diesel pela Quinta Avenida enquanto aguardava a Sílvia me buscar depois de uma reunião. Era a sensação que sentia ao caminhar pela Paulista, muita gente, muito movimento, mas lá eu podia andar bem mais tranquila, inclusive de salto, sem preocupações com buracos e outras faltas de acessibilidade.

Poder andar com segurança, não ter de esperar séculos para atravessar uma rua porque nenhum motorista se digna a dar preferência a um pedestre e a disponibilidade de tantos recursos tecnológicos adaptados com preços acessíveis eram algumas das razões pelas quais tinha vontade de morar naquele país.

Os dias terminavam rapidamente. Tirando algumas passagens estressantes, em que eu me sentia muito insegura quanto a conseguir desenvolver um vínculo tão sólido com o Diesel como tinha com o Boris, as semanas de treinamento foram quase como férias. Saíamos para compras para treinar os cães nessa situação, mas para mim o foco principal não era exatamente esse. Também parávamos em cafés, visitávamos livrarias, supermercados, ruas tranquilas e movimentadas.

Fizemos uma visita a um *pet shop*. Fiquei impressionada com a variedade de brinquedos e produtos. Fiz uma compra gigante para o Diesel e para o Boris. Embora ele nunca tenha gostado muito de brinquedos, a não ser suas garrafas PET pelas quais se interessava até conseguir retirar a tampinha, achei que eu não poderia comprar coisas para o Diesel e não comprar para ele. Também não queria comprar exatamente as mesmas coisas; afinal, cada um tinha suas preferências. Mas havia de ser proporcional. Comprei um macaco de pelúcia e um pato, os dois faziam barulho. Fiquei no maior dilema sobre qual deveria ser de cada um. Enfim, não conseguia deixar de pensar no Boris o tempo todo.

Comprei ossos, bichinhos, argolas e vasilhas.Boris já tinha suas vasilhas, mas queria levar novas para ele, queria que soubesse que eu pensava nele. Também não deixava o Diesel brincar com os presentes do Boris para que não achasse que eram dele.

Já estávamos quase no final do curso quando fizemos um treinamento na rua. Os instrutores acrescentaram diversos tipos de obstáculos e ainda ficaram entrando e saindo de garagens com os carros. Diesel foi ótimo, e isso me ajudava a reforçar as esperanças. Nem sequer pressenti a existência de obstáculos aéreos!

Soube que ele havia sido socializado em uma fazenda no norte de Michigan. A família escreveu uma mensagem contando que ele convivia com um cãozinho de 1,5 quilo e que, apesar dos quase trinta quilos do Diesel, eles se tornaram grandes amigos, brincavam e dormiam juntos. Disseram que era inacreditável a delicadeza com que Diesel brincava com o pequeno!

Boris era um pouquinho maior, mas quem sabe...

Era assim que estava me sentindo naquele dia, véspera de nossa partida. No café da manhã, o assunto eram as providências para arrumar as malas. Treinamento praticamente finalizado. Como assim? Mal tinha concluído que o Boris precisava mesmo se aposentar e pronto! Já estava voltando com o Diesel para o Brasil.

Os sentimentos do momento eram os mais intensos, diversos e contraditórios. O que importava era compreender que nenhum deles anulava o outro e todos deviam ter sempre seu espaço dentro de mim. Afinal, é isso que nos torna verdadeiramente humanos. Na última saída para treinar, deixei o Diesel brincar com a neve. Afinal, ele não sabia que estaria em alguns dias muito distante dessa realidade.

Enquanto eu estava arrumando minha mala, o Diesel ficou o tempo todo sentado ao lado dela. Incrível como eles sabem quando algo vai acontecer.

A volta para o Brasil foi bastante diferente. Diesel, que não estava acostumado a voar, se estressou o tempo todo. Ao entrar no avião, eu o acomodei no chão, à minha frente, debaixo de minhas pernas, e ficou bem tranquilo. Acho que ele pensava que era um grande ônibus e só.

Porém, dez ou quinze minutos após a decolagem ele começou a tremer e queria de todo jeito sair do lugar. Resumindo, não dormi um minuto sequer. No meio da madrugada fui até o toalete e percebi que ele havia ficado mais tranquilo no fundo do avião.

Os comissários sugeriram que eu ficasse ali com ele um pouco, e lá estava eu sentada na cadeirinha deles, tentando acalmar o Diesel. Claro que houve uma verdadeira romaria dos passageiros para ver e brincar com ele. Vira e mexe alguém perguntava: "Você não é a dona do Boris?".

Encontro entre meus cães-guia

Ao chegar ao Brasil foi maravilhoso encontrar o Zé, a Paula e minha mãe. Uma boa sensação de que afinal as coisas poderiam não ser tão diferentes. A primeira coisa que o Diesel fez foi entrar embaixo do carro. Ele tem essa mania de querer entrar sempre debaixo de alguma coisa.

Não via a hora de chegar em casa e rever o Boris. Estava ansiosa também para saber como seria o encontro dos dois cães-guia. Ao chegar, segui as orientações de Moisés. Subi com o Diesel antes dos demais, que ficaram retirando nossa bagagem do carro. Boris já estava se manifestando, com certeza havia notado minha chegada. Ele pulava na porta e fazia seus sons de impaciência. Soltei o Diesel com uma mão enquanto abria a porta com a outra. Ele estava no maior frenesi, mas ao ver o novo companheiro acabou se retraindo um pouco. Boris veio falar comigo, mas senti certa distância. Fez uma festinha meia-boca.

Mesmo com todo o cansaço, percebi que a coisa não iria ser tão fácil. Tentei ser racional. Era um fato novo e o Boris não estava preparado para isso. Sentei no sofá e o chamei. Ele veio e colocou a cabeça em meu colo, como sempre fazia. "Ah bom, Boris, achei que você não ia querer mais falar comigo." Dei um abraço muito apertado nele e isso foi mais do que reenergizante. Mas foi o Diesel se aproximar para ele sair e ir deitar bem longe.

Estava sem energia para desfazer as malas, mas resgatei os presentes do Zé e do Boris. Ele, que não ligava para brinquedos, pegou os novos, deitou em cima e ficou olhando para a cara do Diesel com ares de desafio. Os dias se seguiram com diversos ajustes de rotina para todos.

Na hora de alimentá-los, optei no primeiro momento por fazer os dois se sentarem, o que ambos já faziam individualmente para esperar a comida, e depois dava o comando autorizando-os a comer. Mas essa tática não deu muito certo porque o Boris, que eu já havia ensinado a comer devagar e a mastigar bastante antes de engolir, terminava a refeição bem depois do Diesel. Esse mais parecia um aspirador e, ao terminar o seu, atacava o prato do Boris.

Passei a dar comida para cada um separadamente. Fechava um em meu quarto enquanto alimentava o outro. A situação era um pouco mais fácil quando o Zé estava em casa. Ele levava o Boris ao *park time* e para passear. Diesel ficava por minha conta.

Tive de lidar com a dificuldade de administrar privilégios de um cão maduro e com limites estabelecidos em contraposição a um recém-chegado, em plena adolescência e em fase de adaptação.

O primeiro ponto era o sofá. Boris amava ficar no sofá, um

benefício que havia conquistado ao longo de sua carreira. Novamente recorri às orientações técnicas e fui instruída a manter os privilégios do Boris e colocar os limites para o Diesel. Isso parecia justo, mas não muito tranquilo.

Sempre adorei pegar o Boris no colo. Um dia fui tentar fazer isso com o Diesel e ele ficou desesperado. Esperneou e se debateu até conseguir se desvencilhar. Chamei então o Boris e o peguei no colo. Que diferença! Ele veio e se deitou como se fosse um pequeno bebê. O engraçado foi que, assim que coloquei o Boris no chão, veio o Diesel encostando em mim, como quem diz: "Ah, é assim? Deixa eu tentar, então".

Peguei meu novo guia no colo novamente e ele se deitou em meu ombro, igualzinho o Boris havia feito. Durante o dia eu brincava bastante com eles e me divertia. Eu me sentia feliz por poder estar com os dois. Boris e eu ensinamos o Diesel a brincar de esconde-esconde. No começo foi difícil fazê-lo entender o objetivo do jogo. Mal acabava de deixá-los na cozinha, Diesel já vinha correndo atrás de mim.

Boris se mantinha como uma estátua, fazendo questão de mostrar ao novo companheiro e concorrente suas habilidades. Depois de algum tempo o Diesel aprendeu nossa brincadeira e também se divertia. Era o único momento em que agiam como uma equipe. Diesel quase sempre demorava mais para me achar. Quando o Boris me encontrava, o Diesel vinha correndo e pulava em cima de mim. Boris, nesse ponto, era bem mais light, apenas dava seus espirros de alegria e se sacudia inteiro de tanto que balançava o rabo. Geralmente eu tinha biscoitos no bolso, que entregava a eles. Às vezes fazíamos uma adaptação, eu me escondia e jogava um edredom por cima de mim. Então as funções eram bem definidas, o Boris me encontrava e o Diesel fazia o trabalho de cavar com as patas até me descobrir. Era uma festa.

Entre dois amores

Mudei de emprego e comecei a trabalhar na Fundação Dorina Nowill como relações institucionais. Foi uma experiência muito gratificante para mim. Não era simples cuidar de dois cães sozinha, mas eu me sentia ótima por conseguir fazer isso. Quanto mais eu me esforçava para dar conta de tudo, mais me sentia forte e capaz de cuidar de mim mesma. Foi o maior aprendizado que tive sobre fazer escolhas. Compreendi que priorizar algo é como comprar um pacote fechado: há os pontos positivos e os negativos. Um caminho certo para a infelicidade é olhar os pontos positivos daquilo que deixamos de escolher e os negativos de nossa escolha.

Também percebi que contarmos com a ajuda de outras pessoas para facilitar algo em nossa vida não é comprometer a independência, desde que isso não se torne um vício, uma coisa sem a qual não conseguimos viver.

Eu me preocupava com o Boris, principalmente porque ele continuava não fazendo suas necessidades no quintal. De resto, ele parecia ter absorvido bem a nova situação e resolveu assumir de uma vez por todas seu lado mais vira-lata. Todos os dias quando eu chegava em casa encontrava a lata de lixo virada e o lixo todo esparramado.

Lembro-me de conversar com o Moisés sobre a possibilidade de eu sair para passear com os dois cães e ele me dizia dos perigos, da confusão que poderia gerar para ambos, dos possíveis acidentes, das recomendações de todas as escolas para evitar essa prática, sobre as experiências que não deram certo nesse sentido.

Eu conhecia meus cães, ao menos conhecia o Boris demais da conta para não acreditar que daria certo.

Um domingo acordei muito feliz e o dia estava lindo, ensolarado e calmo. Eu me sentia plena e bastante alegre. Então, depois de dar comida a eles e tomar o café da manhã, decidi sair com ambos.

Cheguei a pensar em ligar para o Moisés para mais uma consulta, mas me dei conta de que isso era uma atitude sem sentido. Eu já sabia dos riscos, e estava buscando uma autorização que não viria. Meu plano era uma volta no quarteirão, numa região tranquila e arborizada, em pleno domingo sem trânsito de carros.

"Vamos passear, meninos?!"

Os dois vieram saltitantes.

Eu não podia me conter de felicidade.

Conversei com eles antes de sair. "Pelo amor de Deus, não vão me aprontar nenhuma, o.k. Vocês se comportem para que a gente possa passear mais vezes, certo?"

Tudo arrumado, saquinhos no bolso, Diesel equipado para guiar do lado esquerdo e Boris à paisana do lado direito. Os dois estavam entusiasmados.

Antes de abrir o portão e sair para a rua, só para garantir, achei melhor fazer um exercício de obediência com ambos. Claro que o Boris sempre respondia primeiro.

Primeiro uma parada para o *park-time*.

"Pronto, agora vamos passear."

O quarteirão era bem amplo e ao chegar à primeira esquina, onde eu previa problemas, porque havia uma casa com cachorro, com quem o Diesel sempre implicava, fiquei perplexa. Nada. Nem Diesel nem Boris esboçaram a menor reação. Quando chegamos de volta em casa eu estava nas nuvens.

Comecei a praticar esses passeios ao redor de casa com eles. As pessoas adoravam rever o Boris e conhecer o novo integrante do grupo, Diesel.

Bom, nem todos os passeios foram assim perfeitos, mas a situação nunca saiu de controle. O pior episódio aconteceu em uma dessas voltas quando estávamos quase chegando em casa. Tudo foi muito rápido. Senti um movimento de cabeça deles, como se estivessem se olhando e depois os dois latiram e fizeram um movimento para cima e para a frente por causa de um outro cão. Não sei como consegui segurá-los. Meu único pensamento era: "Não posso soltar essa guia por nada!".

Juntos eles pesavam mais do que eu, mas consegui não cair nem soltá-los. Repreendi-os e os ameacei de um jeito que nem eu mesma acreditava, muito menos eles.

"Nunca mais vou sair com vocês. E você Boris, que bom exemplo, hein? E agora vamos para casa e eu não quero nem um pio."

Ao chegar em casa, eles bebiam água juntos, no mesmo pote. O que era um feito para o Boris, que, cheio de frescuras, não bebia água no pote de ninguém.

Às vezes eu ia tomar o café da manhã na padaria perto de casa e levava os dois comigo. Ao chegar lá, entrava com o Diesel, que agora era o meu guia, e deixava o Boris lá fora junto com os outros *pets*. Acho que ele curtia, porque os seguranças e clientes o ficavam paparicando. Um dia o gerente me viu entregar o Boris para o segurança levá-lo para o lugar dos cães e interveio:

"Nada disso, ele entra com você, ele já conquistou esse direito."

Sentei no balcão com um de cada lado do meu banco. Acho que foi o melhor café da minha vida.

Algumas vezes cheguei a levar o Boris comigo para o trabalho. Claro que nesses dias ia de carro, táxi ou com minha mãe. Era ótimo para todos, ele ficava circulando pela Fundação de sala em sala, e os clientes, especialmente as crianças, adoravam ter contato com ele.

Eu demorava muito para atravessar a cidade e chegar à Fundação, e o Boris acabava ficando bastante tempo sozinho. Decidi então novamente mudar de casa e voltar a morar na região da Paulista.

Voltei para o mesmo apartamento em que havia morado anteriormente. No fim de semana em que fiz a mudança deixei o Boris com um casal de amigos. Achei que era tumulto demais para um apartamento pequeno, um monte de caixas no chão, pessoas montando móveis e dois labradores. Pensei em deixar o Diesel com alguém, mas decidi levá-lo porque ele era extremamente dependente e poderia sentir muito.

Depois de tudo mais ou menos no lugar, eles trouxeram o Boris no final do domingo. Desci com o Diesel para recebê-lo e ele fez a maior festa para o Boris. Mas não foi recíproco. Boris virou a cara.

Os vizinhos e o funcionário do prédio foram ótimos. Eles me ajudavam bastante pegando o Boris durante o dia para passear e fazer suas necessidades. Eu adorava descer com os dois para o jardim do prédio que o Boris tanto amava. Eles ficavam lá curtindo a grama fresca enquanto eu lia algo ou conversava com algum vizinho.

O problema é que minha nova função exigia às vezes que eu participasse de eventos à noite e até viajasse eventualmente. Isso estava tornando as coisas um pouco complicadas. Comecei a notar que o Boris não estava muito bem, andava um tanto cabisbaixo. Comecei a me perguntar se eu estava fazendo a coisa certa.

Eu queria ter uma casa enorme com gramado e gente para cuidar do Boris, mas minha realidade financeira não permitia. Cheguei a me questionar sobre o que havia feito de minha vida profissional. Será que deveria ter focado mais na questão financeira para não ter de passar por isso agora?

Não tinha a resposta, mas sabia que qualquer que fosse não mudaria a realidade do momento. Poderia até repensar para o futuro, mas agora deveria pensar nas reais condições do Boris.

Num fim de semana um deles passou mal, e eu fiquei angustiada. Não sabia quem era. Depois, ao longo do dia percebi que era o Boris que não estava legal. E se ele passasse mal e estivesse sozinho?

Uma família nova

Eu me sentia exausta, emocionalmente exausta. Em oito meses, havia mudado de casa duas vezes, terminado um relacionamento de sete anos, aposentado um cão-guia que era meu porto seguro, recebido um segundo cão-guia, iniciado e finalizado outro relacionamento-relâmpago, mudado de emprego, feito uma viagem internacional. E agora me via diante de outra situação crítica, outra mudança radical que deveria promover. Como era de esperar, caí de cama no feriado de Corpus Christi com uma gripe daquelas.

Eu queria voltar com o Zé, mas tinha medo de que não fosse um bom momento. E se eu estivesse procurando algum porto seguro no meio desse turbilhão? Acho mesmo muito importante nos questionarmos sempre para entender os porquês de nossas atitudes, mas sou um pouco exagerada nesse ponto. Como todos os extremos, esse também é negativo. Às vezes é necessário que a gente se deixe levar pelas emoções, e foi o que acabei fazendo nesse caso.

Zé havia me ligado e, ao perceber que eu estava gripada, se ofereceu para me levar remédios e ficar comigo para cuidar de mim. Nossa, como eu precisava de alguém que cuidasse de mim.

No primeiro momento, recusei; sempre tive dificuldade em lidar com minhas fragilidades. Mas no segundo telefonema uma voz interna falou mais alto sobre o quanto eu queria e precisava daquele cuidado, daquele carinho. No exato momento em que disse: "Está bom, se você puder vir eu agradeço", senti um enorme peso voar pela janela.

Quando ele chegou, trouxe uma sopa, me deu uns comprimidos e desceu com o Boris e o Diesel para o *park time*. Ufa, tinha a sensação de que o mundo era um pouco mais leve agora. Aliás, sentia que nem mesmo precisava carregá-lo pretensiosamente.

Foi uma noite revigorante e acordei bem melhor. Fiquei com a consciência um pouquinho pesada de deixar o Zé dormir no sofá, mas passou logo, não queria nenhum peso a mais. No dia seguinte nos divertimos muito, assistimos a vários filmes e acabamos voltando. Só então percebi o quanto eu queria isso.

A questão a ser resolvida ainda aguardava por uma definição, e poder contar com o apoio do Zé fazia com que se tornasse um pouco menos pesada.

No restante do feriado conversamos exaustivamente sobre as possibilidades práticas de permanecer com o Boris, mas não havia caminho. O melhor para ele era ficar em outro lugar. Ele precisava de mais atenção, e eu não podia lhe negar isso. Confesso que tive medo de que ele me julgasse mal, que me considerasse uma ingrata, mas ainda assim seria melhor para ele. Talvez ele ficasse magoado comigo, ou talvez ele entendesse a situação. Alguns poderiam dizer que seria só mais uma mudança na vida do Boris, que já havia passado por tantas, primeiro a família socializadora, depois o treinador, depois eu, e agora...

Mas era tão difícil. Eu até tentava acreditar que as coisas eram mais objetivas para os cães, mas a sintonia que tínhamos, com a intensidade que existia, só podia ser fruto de uma relação muito especial, construída ao longo do tempo, fortalecida em cada obstáculo que superamos juntos e cada alegria que desfrutamos juntos também.

Resolvi aplicar o que aprendi com o próprio Boris ao longo da vida que tivemos juntos: escolher sempre o melhor caminho, ainda que não fosse o mais fácil. A primeira opção era o casal Blecher. Nelson e Maria Augusta adoravam o Boris, e ele também gostava muito deles. Além disso, Maria Augusta tinha disponibilidade para passar a maior parte do tempo com ele, e eles também podiam suprir todas as suas necessidades materiais. Boris era mais do que familiarizado com a casa e não sofreria nenhum grande impacto. Por fim, poderíamos acreditar que seria uma situação provisória.

No domingo eles vieram buscá-lo. Boris subiu mais do que depressa no banco de trás do carro, aproveitando ao máximo seus privilégios. Como ele sempre cumpria à risca nossos tratos, deixei claro: era uma temporada na casa de amigos.

Eu havia marcado um almoço na semana seguinte na casa da família Blecher. Porém, no dia anterior, liguei desmarcando. Não conseguia pensar em encontrar o Boris em outra casa. Tinha medo de minha reação e da dele.

Eu estava cada vez mais convencida de que aquele era o melhor caminho, mas isso não diminuía a dor que eu sentia pela separação. Descobri que o Boris significava para mim ainda mais do que eu já sabia.

Algumas pequenas falhas do Diesel começaram a me incomodar mais do que antes e foi um período difícil para nós. Pela primeira vez, eu sabia claramente que estava fazendo comparações o tempo todo, e isso era péssimo para os dois.

Com o Boris em casa, era como se houvesse sempre uma remota possibilidade de ele me guiar a qualquer momento, e isso me fazia sentir muita tranquilidade, mas agora ele não estava a meu lado para eu compartilhar as coisas. Os dois eram muito diferentes.

Boris era independente, seguro e voltado para o mundo. Parecia saber de sua importância, de seu papel transformador. Diesel era tímido, dependente e bastante inseguro. Boris me dava suporte o tempo todo e me impulsionava a seguir sempre em frente. Diesel demandava de mim um suporte que eu nem sabia que podia dar. Boris determinava, Diesel sugeria.

Boris de novo na TV

Dois meses depois da mudança do Boris, fui procurada por uma emissora de TV que estava preparando uma reportagem especial sobre cães-guia e queria gravar uma entrevista comigo, com o Diesel e o Boris.

Senti um frio na barriga. Como seria reencontrá-lo? Mas, ao mesmo tempo, percebi que já estava pronta. E se eu estava pronta, ele estava também, nosso time era perfeito. A primeira etapa da reportagem foi em minha casa, comigo contando nossa história, algo como uma grande retrospectiva. Sentia um nó na garganta toda vez que falava dele. Depois fomos para a rua para que filmassem o Diesel em ação. "Nossa, ele é muito bom!", diziam os integrantes da equipe.

Eu sabia que ele era um ótimo cão-guia, mas às vezes me recusava a pensar nisso. Bom, agora faltava apenas a última etapa, o reencontro. Marcamos de nos encontrar no Parque do Ibirapuera, um local que todos nós gostávamos e era um território neutro para o reencontro dos dois cães.

Era um sábado à tarde. Nelson levaria o Boris, aliás, o que agora era frequente na vida dele. Sua nova casa era bem perto do parque e eles o levavam para passear por lá muitas vezes. Eu fui com o Diesel e encontrei o pessoal da TV na entrada do parque.

Vestia calças jeans e uma blusa azul que havia comprado com o Boris. Assim que cheguei, senti meu coração acelerar. Eu estava morrendo de saudade. A jornalista me perguntou sobre minhas expectativas, e eu respondi que estava ansiosa, mas me sentia tranquila.

Porém, quando o Boris chegou, deixei o Diesel com o pessoal para poder falar com ele direito. No primeiro momento ele estava contido, como eu, mas assim que chegamos mais perto, foi difícil nos contermos. Ele pulava, me lambia e mordia meu braço. Comecei a chorar. Dei um grande abraço nele e isso era sempre muito especial para mim.

A jornalista me perguntou como eu me sentia, mas não consegui responder e pedi para conversarmos depois. Ela foi muito sensível, e deixamos a gravação para um pouco mais tarde.

Fomos a uma área do parque em que se soltam os cães. Eu, que estava com um de cada lado novamente, pedi a eles que se sentassem e dei o comando (*go*), uma autorização para que saíssem correndo.

Os dois, que estavam de banho recém-tomado, foram direto para uma área cheia de lama. Nada grave, só barrigas e patas um pouco comprometidas. Pediram para que eu os chamasse de volta. Diesel, no auge de sua adolescência, queria conhecer tudo. Boris atendeu de primeira e veio se sentar a meu lado. "Como nos velhos tempos", disse no ouvido dele. Uma lambida em meu nariz foi sua resposta.

Apesar da grande emoção, não havia peso agora. Nada de culpa ou mágoa. Demos mais um abraço apertado. Nós estávamos bem. Era algo como uma reafirmação de um para o outro: "Somos os melhores amigos para sempre".

Alguns dias depois fiz uma palestra na Fundação Dorina, onde eu trabalhava, para falar sobre cão-guia. Pedi a Maria Augusta que levasse o Boris. Foi maravilhoso encontrá-lo mais uma vez. Durante toda a palestra ele ficou a meu lado. Ao final, fiquei muito contente porque ele saiu correndo para procurar a Maria Augusta. Isso me fazia ter certeza do que eu já imaginava. Ele estava feliz e bem resolvido.

Diesel, como sempre, foi muito receptivo com o Boris, que, por sua vez, mantinha distância. Aliás, acho que o Boris era o único cachorro para quem o Diesel não latia.

Más notícias

Poucas semanas depois, peguei um recado de Nelson em meu celular: "Thays, ligue para mim quando você puder". O recado era apenas isso, mas eu sabia que algo não estava bem. Após os cumprimentos de sempre, Nelson falou: "Thays, levamos o Boris ao veterinário e ele está com algum probleminha de coração". Eu não conseguia falar. Nelson explicou que ainda não havia um diagnóstico, que o veterinário tinha solicitado alguns exames. Fazia parte de nosso trato que eles me mantivessem informada e atualizada. Depois de emitir algumas manifestações monossilábicas, como ah, hum, sei, consegui desligar o telefone.

O Zé estava comigo e perguntou por que eu estava chorando. Esclareci logo que, pela conversa, os fatos não eram nada graves. É comum cães mais velhos terem probleminhas de coração. Porém, não era assim para mim. Como podia meu super-herói ter uma coisa dessas, tão humana? Ou tão canina?

Era um domingo. À tarde fomos à casa dos Blecher visitar o Boris. Deixei o Diesel em casa. Ao chegar, fiquei feliz porque ele se animou, mas já era outro cachorro. Algo não estava bem. A energia dele estava totalmente diferente. Eu tentava me convencer de que ele faria o tratamento adequado e se recuperaria. Na semana seguinte tive de viajar para Brasília para uma reunião do Conselho Nacional de Assistência Social (CNAS), para o qual havia sido nomeada conselheira. Quando retornei, soube que o Boris havia piorado. Falei com eles no sábado e no domingo pela manhã o Nelson me ligou mais uma vez.

"Thays, o Boris está muito mal. Ele está prostrado, não quer comer nem fazer nada."

Dessa vez não tive dúvida. As circunstâncias, as consequências, nada tinha importância. Eu sabia o que estava acontecendo e o que deveria fazer.

"Nelson, vocês têm como trazer o Boris para cá?"

"Sim, podemos levá-lo. Acho que será bom para ele."

Uma hora depois o Boris chegava ao nosso apartamento. Ele estava bem caidinho, mas o rabo nunca parava de balançar.

Peguei uma vasilha e ofereci ração para ele. Maria Augusta ficou admirada. Ele comeu tudo.

Ela andava dando comida na boca dele, porque ele se recusava a comer de outra forma.

"Ele tem mesmo de ficar aqui, Thays", disse ela.

Se alguém gostava e cuidava bem do Boris ainda mais do que o esperado, esses eram os Blecher. Mas agora a situação era grave e eu sabia que o Boris queria voltar para nossa casa. Para mim era claro que ele havia decidido isso.

No dia seguinte levei o Boris à dra. Renata, veterinária que cuidava dele havia bastante tempo. Eu me sentia mais segura com alguém familiar cuidando dele. Primeiro passo seria fazer um *check-up* completo. Já no exame clínico ela notou que ele estava com febre e realizou o exame de sangue lá mesmo na clínica. Resultado: alterações nas plaquetas e nos glóbulos vermelhos. Considerando todos os sintomas e o resultado do exame, pensou-se em doença do carrapato. Ele havia pegado carrapato fazia alguns anos, quando fomos a Boiçucanga. Ela explicou que algumas vezes pode acontecer de o protozoário ficar no corpo do animal, e a doença só se manifestar em uma queda de resistência.

O tratamento não seria nada simples. A primeira recomendação era fazer o Boris comer de qualquer maneira. Muito ferro e energia era do ele precisava para dar conta de qualquer tratamento.

No dia seguinte, saí muito cedo e fui para a clínica com Boris e Moisés. Zé ficou em casa cuidando do Diesel. A maratona de exames prometia demorar. Boris teria de fazer diversos exames, entre os quais ecocardiograma, radiografias em várias posições e ultrassom do abdômen.

Ele se acomodou na parte de trás do carro, seu local favorito, ficou deitado boa parte do tempo, mas chegou a se sentar em alguns momentos para olhar o movimento pelo vidro do carro.

Desci do carro com o Boris de um lado e um tapete de borracha enrolado do outro. Isso porque o Boris estava com muita dificuldade para se levantar. Usávamos o tapete embaixo de sua cama para que ele tivesse um pouco mais de facilidade.

Na clínica veterinária, enquanto aguardávamos na sala de espera, Moisés comentou algo sobre eu estar meio descabelada. Aí me dei conta de que não andava prestando muita atenção nessas coisas.

O primeiro exame foi o ecocardiograma. Colocamos o Boris sobre uma mesa de metal. A veterinária ficou impressionada com a tranquilidade dele. O exame foi emocionante. Ouvir o som do coração do Boris tão claramente, escutar o movimento do sangue sendo bombeado para todo o corpo... Era aquele o som da vida então.

Ela comentou algo sobre o Boris ter o coração forte, e isso adubava minha esperança. Eu sabia bem o que queria ouvir. Que o Boris estava com a tal doença do carrapato, complexa, mas ainda tratável, e que sua dificuldade de movimentos se devia a algum probleminha de coluna, muito natural para um labrador de quase onze anos. Minha maior preocupação era seu coração, mas aquele som era tão vibrante, não devia ter nada errado. Eu não entendia nada do assunto, era a primeira vez que acompanhava um ecocardiograma. Depois de engolir em seco algumas vezes, perguntei à veterinária:

"Doutora, o eletro indicou um probleminha no coração... Um sopro..."

"É uma discreta alteração, nada preocupante por enquanto. Vamos ver o outro lado agora."

Eu sentia meu coração bater com o dele. Boris parecia um anjo para mim agora. E era. Um anjo que Deus havia mandado para cuidar de mim, me ensinar tanta coisa...

"Ele já fez alguma cirurgia no coração?", quis saber a veterinária.

"Não", respondi mecanicamente, tentando entender e ignorar aquela pergunta ao mesmo tempo.

Dessa vez demorei mais tempo para fazer a pergunta seguinte: "E, então, doutora, está tudo bem?".

"Vamos esperar a radiografia para fecharmos o quadro. Já terminamos aqui."

Eu não queria parar de ouvir o som do coração de Boris. Fomos para outra sala fazer as radiografias. Vesti um avental de chumbo como proteção. Colocamos o Boris na outra mesa. Ele continuava tranquilo. Eu estava em pé, na cabeceira da maca, segurando a pata dianteira do Boris e acariciando sua cabeça com a outra mão. Primeiro fizeram uma chapa do tórax. Saíram da sala para revelar a chapa. Achei um pouco estranho. Por que não faziam todas de uma vez? Parecendo ler meu pensamento, o examinador explicou que preferiam revelar para ver se havia dado certo antes de trocar o Boris de posição.

Parecia lógico e prudente, mas ainda assim eu achava que algo não se encaixava bem. Depois de alguns minutos ele voltou. "Vamos repetir a radiografia, mudar só um pouquinho a posição."

"Mas... Mas... Por quê?" Ele falou alguma coisa sobre ter feito muito para cima ou para baixo, não sei. Fiquei quieta e continuei na mesma posição. Mais uma vez ouvi aquele apito do raio X. Mais uma vez eles saíram da sala para revelar a radiografia.

Demoraram muito dessa feita. De repente o avental de chumbo começou a parecer muito pesado, porque as coisas aconteceram numa velocidade estranha. Não sei se rápido ou lento demais. Entrou uma veterinária na sala. "Thays?"

Antes que eu decidisse se iria ou não responder, ela completou. "A doutora Renata, veterinária do Boris, vai ligar para você." Eu não podia entender aquilo. Meu Deus... Senti o celular vibrando no bolso dos meus jeans. O avental agora estava insuportavelmente pesado. Por mais que eu não quisesse atender o telefone, meu cérebro continuava trabalhando. Atendi, era a dra. Renata... "Pronto." Minha voz queria negar que eu tinha alguma ideia do que estava acontecendo.

"Thays, infelizmente as notícias não são boas."

"Ah, é...?"

"A radiografia mostrou que o Boris tem uma massa de uns três centímetros no coração." Eu queria ter dúvidas sobre o que significava a frase.

"Thays, você tem de ser forte. Há outro problema. Ele tem também metástase nos pulmões."

"Entendi", disse lentamente.

"Eu sugiro que não façamos mais exames."

Não, esta última frase era demais para mim. As lágrimas caíam de meus olhos em grande volume e velocidade e eu não queria ouvir falar mais nada. Estendi a mão com o celular ainda ligado sem dizer nada. Moisés o retirou de minha mão e concluiu a conversa com a dra. Renata.

Saímos da sala de raios X e ficamos sentados em um banco no corredor não sei por quanto tempo. Eu havia parado de chorar agora, estava meio anestesiada, processando as informações e os sentimentos, ou pelo menos tentando fazer isso. O Boris estava bem cansado. Agora que não tinha mais como mentir para mim mesma, eu observava como ele estava ruinzinho.

"Eu sei como você está se sentindo, quer dizer, eu imagino", disse Moisés. "Você quer ligar para contar para o Zé?", ele prosseguiu. "Não, prefiro falar pessoalmente. Vou ligar para a doutora Renata, para falar melhor com ela."

A veterinária, assim como o pessoal da clínica, havia sido muito sensível e solidária. Ela explicou que o tratamento possível, a quimioterapia, seria mais agressivo que a própria doença.

"Thays, nós vamos dar a melhor qualidade de vida possível a ele. Eliminar a dor, essas coisas."

Agora eu me sentia corajosa para perguntar: "Quanto tempo nós temos? Sei que isso não é assim tão preciso, mas queria ter alguma ideia".

"É muito difícil dar um prazo. Talvez três meses... Tenho receio de dizer porque já tive caso de cachorro que tinha semanas e acabou vivendo mais de um ano."

Curioso, por mais que eu quisesse acreditar na melhor hipótese, algo dentro de mim dizia que o Boris não ficaria comigo mais do que algumas semanas.

Ao chegar em casa contei para o Zé, e foi muito difícil para ele. Os dois tinham uma grande amizade. Diesel, que ouvia a conversa, sentou e colocou uma pata em minha perna.

Os últimos dias de um guerreiro

Pedi ao presidente da Fundação que me deixasse trabalhar em casa nos próximos dias. Tinha uma viagem a fazer pelo CNAS ao Espírito Santo. Desmarquei esse compromisso também. Eu não me sentia em condições de fazer nada que não fosse cuidar do Boris. Queria estar perto dele, providenciar tudo o que ele precisasse. Era uma forma de reafirmar o quanto eu era grata a ele, o quanto ele era importante para mim. Eu queria contribuir para que seus últimos tempos fossem os melhores dentro das possibilidades. Para isso eu precisava estar a seu lado, só eu sabia ouvir o que ele queria.

Meu desejo de fazê-lo feliz era tão forte que consegui construir um estado de espírito em que só importava estar alegre por estar com ele. Os dias eram alimentar o Boris, descobrir alimentos que interessassem a ele, dar os remédios nos horários certos, pensar em coisas que pudessem agradá-lo e estar fisicamente perto dele o maior tempo possível.

Todos os dias eu o levava para tomar sol na graminha do jardim do prédio. Descia com os dois, Boris e Diesel. Os tempos não estavam fáceis para o Diesel, eu não saía para andar com ele e não lhe dava muita atenção. Mas ele parecia compreender, pois não teve reações de rebeldia.

Zé foi um companheiro maravilhoso, ficou comigo todo o tempo e era ele quem saía para buscar coisas para nós e para o Boris.

Mesmo com a dificuldade de movimentos, o Boris tentava subir sozinho no jardim. Isso me deixava feliz; era um sinal de que ainda se interessava pelas coisas. Liguei para alguns grandes amigos do Boris, como a Emilia e o Gianet, com quem trabalhamos no Banco Real. Eles foram visitá-lo, e o Boris ficou muito feliz com isso. Ao avistar, no hall dos elevadores, os amigos que vinham visitá-lo, ele se esforçava para levantar e até tentava correr.

A família Blecher era um caso à parte. Estavam presentes o tempo todo e o Boris adorava vê-los.

Faltavam poucos dias para 16 de outubro, quando Boris faria onze anos. Às vezes, tinha medo de que ele não completasse mais um aniversário. Eu temia que tivesse de tomar uma decisão sobre a vida dele. Essa possibilidade só não me assustava mais do que vê-lo sofrer. No feriado de 12 de outubro ele ficou muito mal. Na madrugada anterior eu não havia dormido nada. Aliás, agora meu sono era muito leve, qualquer alteração na respiração do Boris me fazia dar um salto da cama para ver o que estava acontecendo.

Naquela noite ele estava péssimo. Sua cama ficava na sala e a porta do meu quarto ficava aberta. Lá pela uma da manhã, ele se levantou e veio até o quarto. Ao chegar aos pés da minha cama, desabou no chão; já não conseguia ficar muito tempo em pé. Arrumei uma cama para ele lá também. Dei um remédio para dor e ele pareceu ficar um pouco mais tranquilo.

Lá pelas duas e meia acordei com sua respiração muito difícil. Dei mais um salto da cama e percebi que ele estava com febre. Suas orelhas, patas e barriga queimavam. Dei algumas gotas de analgésico e coloquei uma toalha molhada em sua barriga, pescoço e patas para ajudar a baixar a febre. Ele estava muito ofegante. Comecei a sentir medo de que ele partisse. Pedi a Deus com muita intensidade que não o levasse ainda. Eu não estava pronta, eu não suportaria. Mas pedi também que meu desejo só fosse atendido se o Boris pudesse melhorar um pouco. Não poderia ser egoísta a ponto de desejar que ele ficasse daquele jeito.

Foi difícil dormir novamente, mas acabei pegando no sono. No dia seguinte, ele parecia bem mal. Não estava com febre, mas a respiração continuava difícil e ele não tinha ânimo para nada. Era feriado, e recebemos muitas visitas durante todo o dia. Todas choravam ao vê-lo, imaginavam que ele partiria. Já à noite, tive uma conversa difícil com Moisés. Ele também havia ido visitá-lo e me falou sobre a provável decisão que eu teria de tomar. Se tivesse de decidir, faria isso por ele. Resolvi tirar todos os remédios, exceto o analgésico. Boris sempre foi ultrassensível a medicamentos, e algo me dizia que não estavam ajudando.

Boris já não tinha força nem mesmo para caminhar até o elevador e chegar à garagem do prédio, local em que fazia seu *park time*. Zé pegava meu cão-guia no colo e eu abria as portas. Naquele dia, ao menos ele ficou de pé para fazer xixi. Sua alimentação agora eram basicamente aquelas sopinhas de bebê em potinhos, que eu reforçava às vezes batendo com fígado ou frango. Danoninho ele também aceitava. Até mesmo biscoito para cachorros, que ele tanto amava, já não lhe apetecia tanto. Quando alguém chegava com um pacote de presente, ele comia um ou dois só para não fazer desfeita.

Considerando sua dificuldade para andar e fazer as necessidades, o Zé tirou a máquina de lavar da lavanderia e a pôs na cozinha. Mas isso não resolvia muito, o Boris sempre foi enjoado para fazer as necessidades dentro de casa. No dia seguinte, milagrosamente ele estava bem mais animado. Assim que me aproximei, ele se levantou e veio até mim, o rabo sempre abanando, mesmo que não mais com tanto vigor.

Pela manhã, ele comeu sua sopinha sozinho, sem que eu precisasse colocar a comida no céu da boca para que ele engolisse. Durante o dia ele foi melhorando bastante. Levantava de sua cama e ia até o sofá quando eu estava lá. Colocava a cabeça no sofá, como fazia para pedir para subir. Todo o tempo que eu podia, ficava com ele deitado no sofá, com sua cabeça em meu colo. A veterinária, que estava fazendo acupuntura nele para aliviar a dor, foi até minha casa nesse dia e conversou comigo sobre a necessidade de eu liberá-lo para partir. Que ele adiaria sua partida enquanto sentisse que eu precisasse dele. Aquilo soava meio estranho para mim.

Também naquele dia Nelson Blecher me disse a mesma coisa. Não sei se achavam que isso era importante para me preparar para a partida dele ou se acreditavam de fato nessa teoria. Claro que eu sempre conversava com o Boris em pensamento. Mesmo sem ter certeza de que isso não era fantástico demais, tive uma conversa verbal com o Boris no dia seguinte. Ele estava muito melhor, incrivelmente melhor. À tarde, pedi para o Zé levar o Diesel para dar uma volta.

Procurei ficar tranquila para nossa conversa. Como não podia mentir para o Boris, comecei dizendo entre lágrimas:

"Boris, gostaria que você soubesse que estou muito triste com a possibilidade de você partir... Vou sentir muita saudade, viu? Mas vou ficar bem. Muito obrigada por tudo o que você me ensinou e pelo tanto que me ajudou a caminhar... Fique em paz, Boris, você já cumpriu sua missão neste mundo como poucos conseguiram cumprir. Eu vou prosseguir, agora tenho o Diesel para me ajudar. Ele não é assim genial como você, mas é um bom garoto. O que você acha? Ele tem futuro?"

No início da conversa eu estava chorando, mas depois de pôr para fora tantas coisas, estava mais leve e até sorrindo.

"Você gosta um pouquinho dele, vai!"

Fantasioso ou não, o fato é que Boris também estava cabisbaixo no início da conversa, mas ficou todo serelepe no final.

Quando o Zé voltou com o Disel, aconteceu uma coisa pela primeira vez: o Boris tomou a iniciativa de ir brincar com o Diesel. Meu

Deus, como aquilo foi importante para mim, a aceitação do Diesel pelo Boris. Era como uma aprovação. Naquela semana ele ficou muito bem, brincava com seu brinquedo favorito, garrafas PET, até retirar a tampa, depois passava para o Diesel. Não dava para acreditar que ele estava tão doente. Até ração pura ele andava comendo.

A partida

Chegamos ao dia 16 de outubro, 11º aniversário do cachorro mais genial do mundo. Eu estava feliz por ele ter estado tão bem naquele dia. Apesar de sua melhora, seu apetite ainda estava bastante prejudicado. Petiscos caninos não surtiam grande efeito. Na tentativa de fazê-lo comer, naquelas últimas semanas havia feito muitas ofertas até então impensáveis para ele. De iogurte a carne pura, passando por bolachas e bolos, suas refeições agora eram diversificadas e até inusitadas, considerando as regras de saúde e comportamento para cães-guia.

Não havia clima para grandes festas, mas queria dar ao Boris um presente bacana. Algo que o deixasse feliz. Então me lembrei de uma das raras coisas do gênero alimentício que o faziam desviar a atenção. Pedi ao Zé que buscasse batatas fritas do McDonald's, e o presente fez sucesso. Ele até se levantava para pegar as batatinhas.

Eu teria ficado o tempo que fosse, passado as 24 horas do dia cuidando do Boris, mas precisava retomar algumas atividades. Na semana seguinte a seu aniversário, tive de viajar para Brasília para uma reunião do CNAS. Eu partiria na terça e retornaria na sexta-feira pela manhã.

O fim de semana foi bem tranquilo, mas na segunda-feira o Boris não estava muito legal. Minha vontade era de desmarcar a viagem, mas me convenci de que ele ficaria bem. Ele passaria os dias na casa de meus pais e eu já havia dado todas as recomendações para minha mãe.

Eu ligava diversas vezes ao dia para saber dele. Marquei com a veterinária acupunturista para fazer uma sessão com o Boris na casa de minha mãe. Ele sempre melhorava com a acupuntura. Pedi a todos que me mantivessem realmente informada sobre o estado de saúde dele. Na terça-feira, ele ficou ótimo. Paula, minha irmã, lhe ofereceu ração e, incrivelmente, ele aceitou. Porém, na quarta e na quinta-feira ele piorou bastante. Não queria comer nem se levantar.

Na sexta-feira, como planejado, eu já estava de volta a São Paulo. Moisés pegou o Boris na casa de minha mãe e o levou para a minha. Ele ficou na parte de trás do carro, deitado e bem caidinho. Eu me sentei com ele no porta-malas, ele levantou a cabeça e abanou uma vez o rabo. Era cada vez mais nítido que ele estava muito mal. Tentamos colocá-lo para fazer suas necessidades, mas ele nem conseguia ficar em pé.

Durante todo esse período, uma coisa que ele fazia era beber bastante água. Porém nesse dia até água ele estava recusando. Passei o restante do dia tentando fazê-lo comer um mínimo que fosse e dando água para ele com uma seringa. Algumas vezes, o Zé e eu descemos até o jardim para que ele fizesse suas necessidades, mas ele não fazia.

Tentei dar comida, colocando a mão dentro da boca do Boris, mas ele mordeu minha mão. Não uma mordida consciente, mas algo meio involuntário. Era como se ele me dissesse: "Eu não estou aguentando".

Quando descemos para tentar mais um *park time* à noite, o Zé pegou o Boris no colo e eu tive de ajudar a segurar sua cabeça, porque nem isso ele estava conseguindo.

Nós conversamos e eu entendi que precisaria tomar a decisão que eu mais temia. Liguei para a dra. Renata e expliquei a situação. Ela não atenderia naquele sábado, mas disse que iria para ver o Boris. Ela já havia me dito que não fazia eutanásia, mas seu sócio, o dr. Fernando, faria se fosse o caso.

Combinamos então que o dr. Fernando ficaria de sobreaviso,

e ela avaliaria antes a situação clínica. Mais ou menos na hora do almoço a encontramos. Fomos eu, o Zé e o Moisés. Diesel ficou em casa, não queria que ele passasse por uma situação tão estressante.

Ao chegar à clínica, eu, no fundo, queria ouvir da veterinária algo que me fizesse ter certeza do que era o melhor a ser feito, mas isso não aconteceu. Ela me dizia: "Thays, só você pode saber como ele está. É você quem o conhece".

Não sei quantas horas ficamos ali, o Boris sobre aquela mesa, e eu querendo que ele me falasse alguma coisa. Mas ele já havia me dito. Zé e o Moisés tentavam me ajudar, falando sobre o quanto ele estava sofrendo, mas eu tinha muito medo. Não queria tomar uma decisão precipitada, porém não suportava a ideia de ficar prolongando o sofrimento dele simplesmente porque eu não estava pronta.

"Vamos tirar ele daqui, ele está incomodado." O consultório ficava na parte de cima do imóvel e embaixo era o *pet shop*. Descemos com ele para mais uma tentativa de *park time*, e nada. Ele não parava em pé.

Alguns minutos se passaram, e eu comecei a me lembrar de tudo o que havíamos vivido juntos. Nunca deixei de me impressionar com a dedicação e o amor do Boris. Mais do que tudo, ele era um grande amigo, ele era como o sol que me aquecia naquela tarde, sempre iluminando meu caminho, me dando energia e me fazendo sorrir. Ele havia me dado tantas coisas das quais eu precisava... E agora ele precisava de mim e eu tinha de fazer isso por ele.

"Eu vou deixá-lo partir", disse chorando e ainda me lembrando de tantas coisas.

No momento em que disse a frase, soube que era a decisão correta; a leveza que sentia era muito peculiar. Mas, se ele precisava de mim naquele momento, havia de ser no estilo Boris, eu havia de lhe dar a tranquilidade que ele merecia para partir. Ele teria de ir em paz, sabendo que eu ficaria bem por tudo o que tinha aprendido com ele.

Chamamos o dr. Fernando e entramos em uma sala com o Boris. Ficamos ali embaixo mesmo, na parte do *pet shop*. Aquilo me pareceu bem melhor. A dra. Renata trouxe um colchonete, desses de cachorro dormir, e eu me sentei lá com o Boris. Ele estava com a cabeça em meu colo e eu segurava sua pata.

Sentia que devia fazer uma última coisa por ele ainda. Eu precisava fazer com que ele se sentisse seguro e tranquilo. Mas como fazer isso com toda a sintonia que tínhamos? Como fingir para o Boris? Eu precisava convencer a mim mesma primeiro. Então comecei a me concentrar fixamente, procurando uma cena muito feliz e tatilmente parecida com aquele momento. Pensei nas horas em que passávamos na praça do Boaçava. Os sons das vozes do Zé e do Moisés conversando, de alguns cachorros latindo. Depois da correria, de seus amigos caninos e tudo o mais, eu o colocava com a cabeça em meu colo. Às vezes na grama, às vezes num dos bancos de cimento. E lá ficávamos mais um pouco sentindo o sol que tanto adorávamos. "Você é como o meu sol, me dá energia e liberdade, aquece a minha alma", eu dizia em pensamento e ficava passando a mão em seu pelo tão macio, tão de ursinho... Mexia em sua orelha e apertava sua pata.

Quando o dr. Fernando chegou, senti um sobressalto. Em uma microfração de tempo saí de meu devaneio e tive vontade de gritar. Quis mudar de ideia, mandar parar tudo, mas logo voltei para a praça com o Boris.

O dr. Fernando foi muito sensível e, parecendo adivinhar, falou com uma voz bastante suave para continuarmos ali mesmo no chão. Ele me explicava passo a passo o que seria feito. Uma parte de mim ouvia tudo muito distante, mas minha alma estava com a do Boris lá na praça do Boaçava.

"Thays, primeiro nós vamos anestesiá-lo e aguardar até que tenhamos certeza de que ele estará pronto como para uma cirurgia. Só então aplicaremos o outro medicamento que fará com que seu coraçãozinho pare. Ele vai dormir e não vai sentir nada."

Dei um beijo no nariz cor-de-rosa do Boris e me concentrei ainda mais na cena escolhida. De repente a brisa começou a me fazer sentir um arrepio, e o silêncio era muito profundo. Percebi que o sol já havia se posto.

Depois de tudo

Durante muitos meses fiquei em luto, parecia que jamais conseguiria me recuperar da perda do Boris. Lembro-me de uma manhã em que achei que iria enlouquecer. Acordei e senti a presença do Boris, como ele sempre fazia para ver se eu estava acordada, só colocando o focinho perto de meu travesseiro discretamente.

Comecei a chorar, queria dormir novamente, queria apagar aquela impressão. Acho que foi o dia de maior consciência do que realmente havia acontecido. Não consegui dormir de novo e também não conseguia levantar da cama. Então o Diesel se aproximou cuidadoso. Depois de quase uma hora, saí da cama. Daquele dia em diante passei a sentir a presença do Boris de uma forma diferente.

Eu agora estava trabalhando no Tribunal, concursada novamente, aliás, pela prova que fiz no último dia de trabalho do Boris. Diesel estava trabalhando bem e eu gostava de estar com ele, mas ainda fazia muitas comparações. Os meses seguintes foram terríveis e cheguei a pensar mais de uma vez em mandar o Diesel de volta para os Estados Unidos. Era uma confusão de sentimentos, porque eu já estava bem apegada a ele, e ao mesmo tempo, achava que deveria ser racional, que, se havia ficado sem o Boris, poderia ficar sem qualquer outro cão. Os frequentes chiliques do Diesel com outros cães alimentavam esse propósito. Talvez eu não desse conta de um comportamento tão parecido com o do Boris.

Fato é que quando verbalizei essa ideia numa conversa com o Zé, e depois com o Moisés, a coisa começou a clarear para mim. Moisés sugeriu que estabelecêssemos um prazo para fazermos mais algumas tentativas. Caso não funcionasse, o Diesel voltaria para a Leader Dogs.

O prazo era de três meses.

Não sei bem como aconteceu, mas o fato é que passei a perceber no Diesel muitas coisas que me encantavam, fosse em seu trabalho, fosse em seu comportamento geral. Agora eu saía muito mais para caminhar com ele e me envolvi intensamente na tarefa de fazê-lo melhorar no relacionamento com outros cães. Os resultados foram promissores.

Nesse tempo, além do trabalho com o Diesel, eu me dedicava a escrever este livro e fazer um blog contando minhas histórias com o Diesel e com o Boris. Até que em abril houve uma reviravolta.

No feriado de Páscoa fui para Maresias com o Zé e o Diesel – estava curiosa para ver a reação dele ao conhecer o mar. Foi muito bom para todos nós, eu me diverti bastante com as peripécias do Dieselito, que rolava na areia depois de sair da água. Mais parecia um cachorro à milanesa. Ele trabalhou maravilhosamente, e então pude experimentar mais uma vez a deliciosa sensação de caminhar à beira-mar com um grande amigo silencioso ao lado. Voltei no domingo, mas algo ainda me incomodava profundamente. Eu não tinha coragem de ir buscar a urna com as cinzas do Boris e me sentia culpada por não fazer nada a respeito.

Na sexta-feira seguinte recebi um telefonema da empresa que havia feito o procedimento.

"Nós podemos mandar alguém para lhe entregar a urna, já faz muito tempo..."

"Está bem..."

Eles levaram a pequena urna lá no Tribunal e foi uma explosão de emoções recebê-la. Saí correndo para uma sala vazia com a impressionante ajuda do Diesel. Coloquei com todo o cuidado a urna no chão e me sentei bem de frente. Era dia 10 de abril e fazia exatos dez anos que eu havia recebido o Boris nos Estados Unidos. Diesel se aproximou muito respeitoso, cheirou aquele objeto dotado dos mais diversos significados e silenciosamente se deitou ao meu lado, com a cabeça em meu colo. As imagens e as lembranças corriam aceleradas por minha cabeça. Resolvi me fixar em uma que me parecia a mais significativa para aquele momento: eu chego em casa muito entristecida pela situação do Boris, sigo em silêncio para meu quarto e sento-me na cama com as lágrimas correndo vagarosas por meu rosto. Respeitoso e dedicado, Diesel salta em meu colo, passa as patas ao redor de meu pescoço e me abraça com carinho. Eu simplesmente retribuo seu abraço.